中华人民共和国国家标准

轧机机械设备工程安装验收规范

Code for acceptance of engineering installation for mechanical equipment of rolling mill

GB 50386 - 2016

主编部门：中 国 冶 金 建 设 协 会
批准部门：中华人民共和国住房和城乡建设部
施行日期：2 0 1 7 年 4 月 1 日

中国计划出版社

2016 北 京

中华人民共和国国家标准

轧机机械设备工程安装验收规范

GB 50386-2016

☆

中国计划出版社出版发行

网址：www.jhpress.com

地址：北京市西城区木樨地北里甲11号国宏大厦C座3层

邮政编码：100038　电话：（010）63906433（发行部）

三河富华印刷包装有限公司印刷

850mm×1168mm　1/32　6.25印张　158千字

2017年2月第1版　2017年2月第1次印刷

☆

统一书号：155182·0002

定价：38.00元

中华人民共和国住房和城乡建设部公告

第1274号

住房城乡建设部关于发布国家标准《轧机机械设备工程安装验收规范》的公告

现批准《轧机机械设备工程安装验收规范》为国家标准，编号为GB 50386—2016，自2017年4月1日起实施。其中，第7.5.1条为强制性条文，必须严格执行。原《轧机机械设备工程安装验收规范》GB 50386—2006同时废止。

本规范由我部标准定额研究所组织中国计划出版社出版发行。

中华人民共和国住房和城乡建设部

2016年8月18日

前　　言

本规范是根据住房城乡建设部《关于印发〈2014 年工程建设标准规范制订修订计划〉的通知》（建标〔2013〕169 号）的要求，由中国二十冶集团有限公司会同有关单位共同修订完成的。在修订过程中，修订组进行了广泛的调查研究，总结了近十年来轧机机械设备工程安装的实践经验，开展了专题研究，参考了大量文献和工程资料，广泛征求了全国有关单位和专家的意见，经过反复讨论、修改和完善，最后经审核定稿。

本规范共分 17 章和 4 个附录，主要内容包括：总则，基本规定，设备基础、地脚螺栓和垫板，设备和材料，轧机设备，剪切机，开卷机和卷取机，辊道，冷床，运输设备，移送和翻转设备，矫直机，活套，焊机，加热炉，辅助设备及安全和环保等。

本次修订的主要内容如下：

（1）对标准的章节布局进行了调整，将原规范第 4 章 4.2 节和 4.3 节合并成第 4 章 4.2 节，将原规范第 15 章 15.14 节移至第 7 章 7.4 节，将原规范第 6 章 6.2 节～6.5 节合并为一节，将原规范第 15 章 15.12 节移至第 14 章单独作为一章，使修订后的规范章节名称和条文内容相一致，工序的衔接及配合更合理。

（2）对强制性条文进行了修订。

（3）增加了灌浆法设置垫板、轧机主传动电机、带钢剪切机、滚盘式冷床、激光焊机、抛丸机、酸洗设备、定宽机及安全和环保等内容。

（4）将第 5 章～第 16 章中试运转中的通用规定统一移至第 2 章，并对第 5 章～第 16 章中试运转内容进行了修订。

（5）对第 2 章轧机机械设备工程分部工程及分项工程划分表

和部分条文内容进行了修订。

(6)第5章增加了激光跟踪仪或全站仪检验轧机底座和机架的检验方法,并对部分条文进行了修订。

(7)第7章删除了热轧带钢开卷机的内容。

(8)第15章增加了曲柄式提升驱动装置的安装验收规定,并对部分条文进行了修订。

本规范以黑体字标志的条文为强制性条文,必须严格执行。

本规范由住房和城乡建设部负责管理和对强制性条文的解释,由中国冶金建设协会负责日常管理,由中国二十冶集团有限公司负责具体技术内容的解释。在执行过程中,请各单位结合工程实践,认真总结经验,如有意见和建议,请寄送中国二十冶集团有限公司技术中心(地址:上海市宝山区盘古路777号,邮政编码:201900,E-mail:jszx99@126.com)。

本规范主编单位、参编单位、主要起草人和主要审查人:

主编单位:中国二十冶集团有限公司

参编单位:上海十三冶建设有限公司
中国一冶集团有限公司
冶金工业工程质量监督总站宝钢监督站
中冶天工集团有限公司

主要起草人:王英俊 魏尚起 曹杨 孙剑 刘光明
杨佳华 李长良 曹国良 魏宏超 成继红
郑永恒 赵聪

主要审查人:郭启蛟 赵榕 曹春光 盛金良 向湘峡
冯坚勇 秦保仁 陈红武 杨明珠

目　次

Contents

1 总　　则

1.0.1 为了保证轧机机械设备工程安装质量,统一轧机机械设备工程安装验收,制定本规范。

1.0.2 本规范适用于新建、改建和扩建的轧机机械设备工程安装验收。

1.0.3 轧机机械设备工程安装验收除应符合本规范的规定外,尚应符合国家现行有关标准的规定。

2 基本规定

2.0.1 轧机机械设备工程安装应有相应的施工技术标准、质量管理体系、质量控制及检验制度、施工组织设计、施工方案作业文件。

2.0.2 施工图纸变更应有设计单位签署的文件。

2.0.3 轧机机械设备工程的质量检查和验收，应使用经计量检定或校准合格的计量器具，其精度等级应满足被检测项目的精度要求，并在有效期内使用。

2.0.4 轧机机械设备工程安装中从事特种作业的人员，应持有特种作业操作证和职业资格证，并在其考试合格项目及其认可范围内作业。

2.0.5 设备安装应按规定的程序进行，每道工序完成后，应进行检查验收，并应形成记录。未经检查验收的不得进行下道工序施工。

2.0.6 轧机机械设备工程中设备的二次灌浆及隐蔽工程在隐蔽前应自检合格，隐蔽前施工单位应通知监理等有关单位进行验收，并形成隐蔽工程验收记录。

2.0.7 轧机机械设备工程安装质量的验收应在施工单位自检合格后，按照分项工程、分部工程、单位工程进行验收。轧机机械设备工程分部工程及分项工程划分宜按表2.0.7的规定执行。

表2.0.7 轧机机械设备工程分部工程及分项工程划分

序号	分部工程名称	分项工程名称
1	冷连轧机组入口段机械设备工程安装	步进梁式运输机、钢卷运输小车、开卷机、辊式矫直机、入口剪、夹送辊、焊机、张力辊、跳动辊、活套(钢结构、轨道、摆动门、活套小车、卷扬机等)、控制辊等

续表 2.0.7

序号	分部工程名称	分项工程名称
2	冷连轧机组连轧区机械设备工程安装	轧机底座、轧机机架、轧机传动装置、轧机换辊装置、轧辊调整装置等(均按轧机的数序划分)
3	冷连轧机组出口段机械设备工程安装	夹送辊、飞剪、卷取机、助卷机、磁性皮带机、钢卷运输小车、钢卷秤、步进梁式运输机、翻卷机、链式运输机、打捆机等
4	连续酸洗机组入口段机械设备工程安装	步进梁式运输机、钢卷秤、钢卷运输小车、开卷机、夹送辊、辊式矫直机、入口剪、焊机、控制辊、张力辊、导向辊、张力矫直机、入口活套(钢结构、轨道、摆动门、活套小车、卷扬机等)等
5	连续酸洗机组酸洗工艺段机械设备工程安装	清洗槽、酸洗槽、漂洗槽、干燥器、循环罐、循环泵等
6	连续酸洗机组出口段机械设备工程安装	出口活套(钢结构、轨道、摆动门、活套小车、卷扬机等)、控制辊、张力辊、导向辊、圆盘剪、碎边剪、夹送辊、涂油机、飞剪、卷取机、助卷机、钢卷运输小车、步进梁式运输机、钢卷秤、链式运输机、打捆机等
7	连续退火机组入口段机械设备工程安装	步进梁式运输机、钢卷运输小车、开卷机、夹送辊、矫直机、入口剪、切头运输机、焊机、碱浸槽、电解清洗槽、刷洗槽、漂洗槽、热空气干燥器、纠偏辊、张力辊、导向辊、入口活套、跳动辊等
8	连续退火机组炉子段机械设备工程安装	炉体钢结构、炉壳、炉辊、导向辊、纠偏辊、风箱、水冷槽等
9	连续退火机组出口段机械设备工程安装	中间活套、出口活套、纠偏辊、张力辊、导向辊、跳动辊、平整机、拉伸矫直机、剪边机、切头运输机、测厚仪、涂油机、剪切机、卷取机、磁性皮带机、助卷机、钢卷运输小车、称重机、打捆机、步进梁式运输机等

续表 2.0.7

序号	分部工程名称	分项工程名称
10	热镀锌机组入口段机械设备工程安装	步进梁式运输机、钢卷运输小车、开卷机、夹送辊、矫直机、剪切机、焊机、碱浸槽、电解清洗槽、刷洗槽、漂洗槽、热空气干燥器、对中导向装置、张力辊、纠偏辊、导向辊、入口活套等
11	热镀锌机组炉子段机械设备工程安装	炉壳、炉体钢结构、炉辊、导向辊、纠偏辊、气刀装置、锌锅、沉没辊、合金化炉、风箱、水冷槽等
12	热镀锌机组出口段机械设备工程安装	出口活套、张力辊、纠偏辊、导向辊、光整机、打印机、涂油机、剪切机、夹送辊、卷取机、皮带传递输送机、助卷机、钢卷运输小车、称重机、打捆机等
13	热连轧生产线加热炉区机械设备工程安装	炉前辊道、出炉辊道、装钢机、出钢机、炉体设备、炉体钢结构等
14	热连轧生产线粗轧机区机械设备工程安装	除鳞箱、除鳞辊道、定宽压力机、轧机底座、轧机机架、轧机传动装置、轧机换辊装置等(均按轧机的数序划分)、热卷箱、辊道、废料抛出装置等
15	热连轧生产线精轧机区机械设备工程安装	除鳞箱、轧机底座、轧机机架、轧机传动装置、轧机换辊装置等(均按轧机的数序划分)、飞剪机、辊道等
16	热连轧生产线卷取及运输区机械设备工程安装	层流冷却辊道、入口侧导板、夹送辊、卷取机、助卷辊装置、卸卷车、翻卷机、运卷车、升卷机、钢卷秤、打捆机、步进梁式运输机、链式运输机等
17	热连轧横剪切机组机械设备工程安装	步进梁式运输机、开卷机、圆盘剪、飞剪机、辊式矫直机、垛板机、辊道等
18	热连轧平整机组机械设备工程安装	钢卷运输机、辊式矫直机、切头剪、开卷机、平整机、防跳辊、分切剪、卷取机、助卷器等

续表 2.0.7

序号	分部工程名称	分项工程名称
19	热连轧纵剪切机组机械设备工程安装	钢卷运输机、切头剪、开卷机、圆盘纵剪机、碎边机、夹送辊、张力辊、卷取机、助卷器等
20	热轧管机组机械设备工程安装	环形加热炉、定心机、顶杆推入机、穿孔机底座、穿孔机机架、穿孔机传动装置、减径机、钢管连轧机底座、机架、轧机传动装置、链式脱棒机、钢管翻转机、管材横向移送装置、管材螺旋移送机、再加热炉、定径机、辊道、轧材冷却台架、钢管旋转链式移送冷床、芯棒矫直机、切头圆盘锯等
21	中厚板生产线加热炉区机械设备工程安装	炉前辊道、推钢机、炉体设备、炉体钢结构、出钢机、出炉辊道、除鳞箱、除鳞辊道等
22	中厚板生产线粗轧机区机械设备工程安装	侧导板、机前辊道、轧机底座、轧机机架、轧机传动装置、轧机换辊装置、机后辊道、运输辊道等
23	中厚板生产线精轧机区机械设备工程安装	侧导板、机前辊道、轧机底座、轧机机架、轧机传动装置、轧机换辊装置、机后辊道、运输辊道等
24	中厚板生产线矫直、冷却区机械设备工程安装	辊道、热矫直机、冷床、检查台、翻板机、横移台架等
25	中厚板生产线剪切精整区机械设备工程安装	辊道、切头剪、对中装置、切边剪、定尺机、定尺剪、横移台架、推钢机、垛板机、冷矫直机、称量机、打捆机、打印机等

2.0.8 分项工程质量验收合格应符合下列规定：

1 主控项目检验应符合本规范的规定；

2 一般项目检验中机械设备应全部符合本规范的规定；

3 一般项目检验中工艺钢结构应有 80％及以上的检查点

(值)符合本规范的规定，其余实测最大值不应超过其允许偏差值的1.2倍；

4 质量验收记录及质量合格证明文件应齐全。

2.0.9 轧机机械设备工程安装允许偏差项目的精度等级应划分为两级：

1 Ⅰ级精度项目应包含板带轧机、粗轧与精轧的带材连轧机、平整机、管材连轧机、高速线材轧机、棒材轧机、型材连轧机、中厚板成品轧机等；

2 Ⅱ级精度项目应包含开坯机、钢坯轧机、穿孔机、焊管轧机等。

2.0.10 设备单体试运转应符合下列规定：

1 试运转前，施工单位应编制单体试运转方案，经总监理工程师(建设单位技术负责人)批准后，方可进行试运转。

2 轧机机械设备及其附属装置、管路等均应全部施工完毕，施工记录和资料应齐全。液压、润滑、气动、水、汽、乳化液、电气等系统调试检验完毕，并应符合试运转的要求。

3 试运转所需的能源、介质、材料、工机具、检测仪器、安全防护设施及用具等均应符合试运转的要求。

4 设备的安全保护装置应符合相关技术文件的规定。

5 试运转的设备及周围环境应清理干净，周围不得有粉尘和噪声较大的作业。

6 离合器、制动装置及限位开关等控制元件动作准确无误、灵敏可靠。

7 单体设备试运转时间或次数应符合设计文件的要求，设计无要求时应符合下列规定：

1) 连续运转的设备连续运转不应少于2h；

2) 往复运转的设备在全程或回转范围内往复动作不应少于5次。

8 设备单体无负荷试运转合格后，应进行无负荷联动试运转，按设计文件规定的联动程序和时间要求应连续操作运行3次。

9 试运转设备轴承温度应符合设计文件的要求，设计无要求时应符合下列规定：

1）滚动轴承正常运转时，轴承温升不得超过40℃，且最高温度不得超过80℃；

2）滑动轴承正常运转时，轴承温升不得超过35℃，且最高温度不得超过70℃。

10 每次试运转结束后，应完成下列工作：

1）切断电源和其他动力源；

2）进行必要的放气、排水和防锈涂油；

3）设备内有余压的进行卸压。

11 试运行过程中，传动部件应转动灵活、平稳，无异常振动和声响。

12 各紧固件、联接件不得松动。

2.0.11 分部工程质量验收合格应符合下列规定：

1 分部工程所含分项工程的质量应全部合格；

2 质量控制资料应齐全；

3 设备单体无负荷试运转应合格；

4 设备的安全防护设施应齐全、可靠，限位开关动作准确。

2.0.12 单位工程质量验收合格应符合下列规定：

1 单位工程所含分部工程的质量应全部合格；

2 质量控制资料应齐全；

3 设备无负荷联动试运转应合格；

4 观感质量验收应合格。

2.0.13 单位工程观感质量检查项目应符合下列规定：

1 螺栓、螺母与垫圈应按设计配置齐全，紧固后螺栓应露出螺母，外露螺纹无损伤，螺栓拧入方向除构造原因外应一致；

2 管道应无漏油、漏水、漏气现象；

3　管道布置应合理，排列应整齐；

4　隔声与绝热材料敷设层厚度应均匀，绑扎应牢固，表面应平整；

5　油漆涂刷应均匀，无漏涂、脱皮、皱皮和气泡，色泽应一致；

6　走台、梯子和栏杆固定应牢固，并应无外观缺陷；

7　焊缝的焊波应均匀，焊渣和飞溅物应清理干净；

8　切口处应无熔渣；

9　设备应无缺损，裸露加工面保护应良好；

10　施工现场应管理有序，设备周围不应有施工杂物。

2.0.14　轧机机械设备工程质量验收记录应符合下列规定：

1　分项工程质量验收记录应符合本规范附录A的规定；

2　分部工程质量验收记录应符合本规范附录B的规定；

3　单位工程质量验收记录应符合本规范附录C的规定；

4　设备无负荷试运转记录应符合本规范附录D的规定。

2.0.15　工程质量不符合要求时，应及时处理或返工，并应重新进行验收。

2.0.16　工程质量不符合要求，且经处理和返工仍不能满足安全使用要求的工程不得验收。

2.0.17　轧机机械设备工程安装质量的验收程序应符合下列规定：

1　分项工程应在施工单位自检合格的基础上，由建设单位专业技术负责人（监理工程师）组织施工单位专业技术质量负责人进行验收；

2　分部工程应在各分项工程验收合格的基础上，由施工单位向建设单位提出报验申请，由建设单位项目负责人（总监理工程师）组织施工单位和监理、设计等有关单位项目负责人及技术负责人进行验收；

3　单位工程完工后，应由施工单位向建设单位提出报验申请，由建设单位项目负责人组织施工单位、监理单位、设计单位等项目负责人进行验收；

4 当工程由分包单位施工时，其总承包单位应对工程质量全面负责，并应由总承包单位报验。

3　设备基础、地脚螺栓和垫板

3.1　一般规定

3.1.1　设备安装前应进行基础的检查验收,未经验收合格的基础不得进行设备安装。

3.1.2　轧机机械主体设备基础应做沉降观测,并应形成记录。

3.2　设备基础

Ⅰ　主控项目

3.2.1　设备基础强度应符合设计文件的规定。

检查数量:全数检查。

检验方法:检查基础交接资料。

3.2.2　设备就位前,应根据施工图、测量控制网绘制中心标板及标高基准点布置图,按布置图设置中心标板及标高基准点,并测量投点。连续生产线及其主体设备应埋设永久中心标板和标高基准点。

检查数量:全数检查。

检验方法:检查测量成果单、观察检查。

Ⅱ　一般项目

3.2.3　设备基础轴线位置、标高、尺寸和地脚螺栓位置应符合设计文件的要求,并应符合现行国家标准《机械设备安装工程施工及验收通用规范》GB 50231 的有关规定。

检查数量:全数检查。

检验方法:检查基础复测记录。

3.2.4　设备基础表面和地脚螺栓预留孔中的油污、碎石、泥土、积水等均应清除干净,预埋地脚螺栓和螺母应保护完好。

检查数量:全数检查。

检验方法:观察检查。

3.3 地脚螺栓

Ⅰ 主控项目

3.3.1 地脚螺栓的规格和紧固应符合设计文件的规定。

检查数量:抽查20%,且不应少于4个。

检验方法:检查质量合格证明文件、尺量,检查紧固记录,锤击螺母检查。

Ⅱ 一般项目

3.3.2 地脚螺栓上的油污和氧化皮等应清除干净,螺纹部分应涂有油脂。

检查数量:全数检查。

检验方法:观察检查。

3.3.3 地脚螺栓在预留孔中应垂直,任一部分与孔壁的距离应大于15mm,且不应碰孔底。

检查数量:全数检查。

检验方法:观察检查。

3.4 垫板

Ⅰ 主控项目

3.4.1 座浆法或灌浆法设置垫板时,座浆或灌浆混凝土48h的强度应达到基础混凝土的设计强度。

检查数量:逐批检查。

检验方法:检查座浆或灌浆试块强度试验报告。

Ⅱ 一般项目

3.4.2 设备垫板的设置应符合设计文件的要求,设计无要求时应符合现行国家标准《机械设备安装工程施工及验收通用规范》GB 50231的有关规定。

检查数量:抽查20%,且不应少于4块。

检验方法:观察检查、尺量、塞尺检查、轻击垫板。

3.4.3 采用研磨法放置垫板时,混凝土基础表面应凿平,混凝土表面与垫板的接触点应分布均匀。

检查数量:抽查20%,且不应少于4块。

检验方法:着色法检查。

4 设备和材料

4.1 一般规定

4.1.1 设备搬运和吊装时,应有保护措施。

4.1.2 设备安装前应进行开箱检查,形成检验记录,设备开箱后应妥善保管,并应及时安装。

4.1.3 材料应堆放整齐,并有防损伤措施。

4.2 设备和材料

主控项目

4.2.1 设备的型号、规格、质量和数量应符合相关技术文件的要求。

检查数量:全数检查。

检验方法:观察检查,检查设备质量合格证明文件。

4.2.2 材料、标准件等的型号、规格、质量、数量和性能应符合设计文件和现行国家产品质量标准的要求。进场时应进行验收,并应形成验收记录。

检查数量:全数检查质量合格证明文件。实物宜抽查1%,且不应少于5件。设计文件有复检要求的,应按规定进行复检。

检验方法:检查质量合格证明文件、复检报告及验收记录,外观检查或实测。

5 轧机设备

5.1 底　　座

一 般 项 目

5.1.1 轧机底座安装允许偏差应符合表5.1.1的规定。

检查数量：全数检查。

检验方法：宜符合表5.1.1的规定。

表5.1.1 轧机底座安装允许偏差

项次	项目		允许偏差(mm) Ⅰ级	允许偏差(mm) Ⅱ级	检验方法
1	标高	根据基准点安装	±0.30	±0.50	用激光跟踪仪或水准仪检查
		根据已安设备安装	±0.10	±0.25	用激光跟踪仪或水准仪检查
2	中心线	根据主要中心线安装	0.5	1.0	用激光跟踪仪或全站仪或拉钢丝线、吊线锤、钢尺检查
		根据已安设备安装	0.3	0.5	用激光跟踪仪或全站仪或拉钢丝线、吊线锤、钢尺检查
3	水平度	轧机单个底座	0.05/1000	0.10/1000	用水平仪检查
		同一台轧机两底座间	0.05/1000	0.10/1000	用平尺和水平仪检查
		连轧机相邻轧机两底座间	0.05/1000	0.10/1000	用平尺和水平仪检查
4	平行度	单个底座相对中心线	0.05/1000	0.10/1000	用激光跟踪仪或全站仪或拉钢丝线、内径千分尺检查
		同一台轧机两底座间	0.05/1000	0.10/1000	用激光跟踪仪或内径千分尺或样棒检查
		连轧机相邻轧机两底座间	0.05/1000	0.10/1000	用激光跟踪仪或立短平尺、内径千分尺或样棒检查

5.1.2 单机架轧机底座的标高和水平度测量时，应在轧机底座上表面测量（图 5.1.2－1）；连轧机底座安装时，相邻轧机底座的水平度偏差朝向不得一致（图 5.1.2－2）。

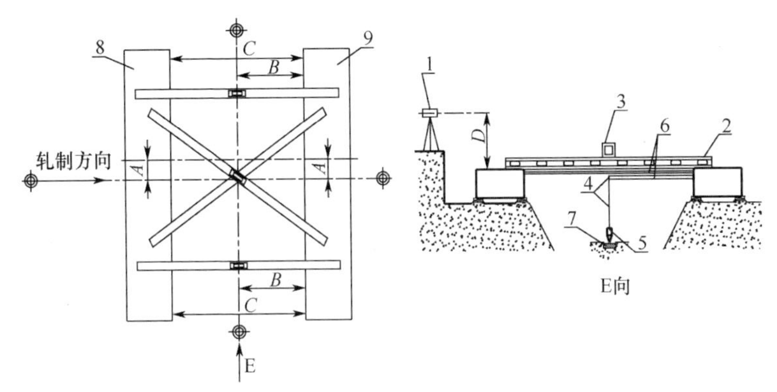

图 5.1.2－1 单机架轧机底座安装测量图

1—精密水准仪；2—平尺；3—水平仪；4—钢琴线；5—线锤；6—内径千分尺；7—中心标板；8—入口侧底座；9—出口侧底座；

A—轧制线方向中心线的测定；

B—横向中心线的测定和出口侧底座相对轧机中心线平行度的测定；

C—两底座间平行度的测定；*D*—标高的测定

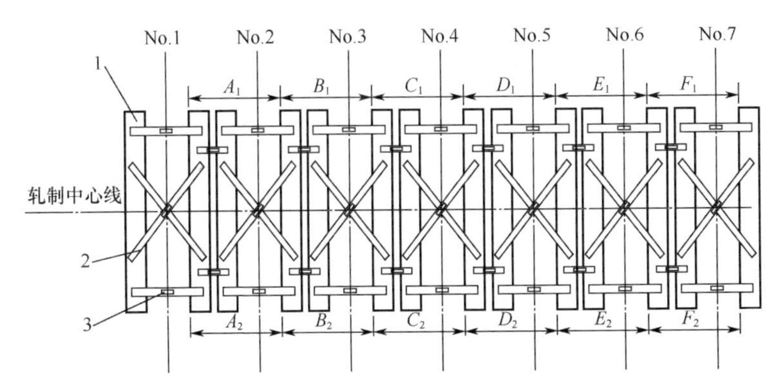

图 5.1.2－2 连轧机底座安装测量图

1—底座；2—平尺；3—水平仪

5.2 机　　架

Ⅰ　主控项目

5.2.1 机架固定螺栓的紧固力应符合设计文件的规定。

检查数量：全数检查。

检验方法：检查螺栓紧固记录。

5.2.2 机架与上横梁和下横梁连接螺栓或热装螺栓的紧固力应符合设计文件的规定。

检查数量：全数检查。

检验方法：检查螺栓紧固记录，观察检查。

Ⅱ　一般项目

5.2.3 机架固定螺栓的安装应垂直、固定可靠，螺母、垫圈、底座间接触紧密，紧固后螺栓应露出螺母，外露螺纹无损伤，螺栓拧入方向除构造原因外应一致。

检查数量：抽查20%，且不应少于4处。

检验方法：观察检查。

5.2.4 机架窗口滑板与机架窗口面应接触紧密，螺栓紧固力、两滑板间距、平行度应符合设计文件的规定。

检查数量：抽查20%，且不应少于4处。

检验方法：用力矩扳手、塞尺和内径千分尺检查。

5.2.5 轧机机架安装允许偏差应符合表5.2.5的规定。

检查数量：全数检查。

检验方法：宜符合表5.2.5的规定。

表5.2.5　轧机机架安装允许偏差

项次	项目		允许偏差(mm)		检验方法
			Ⅰ级	Ⅱ级	
1	垂直度	机架窗口面	0.05/1000	0.10/1000	用激光跟踪仪或全站仪或吊垂线、内径千分尺、耳机或灯光检查

续表 5.2.5

项次	项目		允许偏差(mm)		检验方法
			Ⅰ级	Ⅱ级	
1	垂直度	机架侧面	0.05/1000	0.10/1000	用激光跟踪仪或全站仪或吊垂线、内径千分尺、耳机或灯光检查
2	水平度	窗口底面平行轧线方向	0.05/1000	0.10/1000	用水平仪检查
		窗口底面垂直轧线方向	0.05/1000	0.10/1000	用水平仪检查
		两机架窗口底面	0.10/1000	0.20/1000	用平尺、块规和水平仪检查
3	两机架窗口中心线的水平偏斜		0.20/1000	0.20/1000	用激光跟踪仪或全站仪或拉钢丝线、内径千分尺、耳机或灯光检查
4	机架窗口在水平方向扭斜		0.20/1000	0.20/1000	用激光跟踪仪或全站仪或拉钢丝线、内径千分尺、耳机或灯光检查
5	机架中心线		0.5	1.0	用激光跟踪仪或全站仪或拉钢丝线、吊线锤、钢尺检查
6	连轧机相邻两机架平行度		0.05/1000	0.10/1000	用激光跟踪仪或平尺、内径千分尺、耳机或灯光检查
7	机架与底座接触间隙	垂直方向 A	四周 75% 不入,局部允许 0.10 间隙		用 0.05mm 塞尺检查
		水平方向 B	四周 75% 不入,局部允许 0.10 间隙		用 0.05mm 塞尺检查

续表 5.2.5

项次	项　　目	允许偏差(mm)		检验方法
		Ⅰ级	Ⅱ级	
8	横梁与机架接触间隙	四周 75% 不入，局部允许 0.10 间隙		用 0.05mm 塞尺检查

5.2.6 机架垂直度测量时，应在轧机机架窗口面和侧面测量(图 5.2.6－1)；机架水平度测量时，应在轧机机架窗口底面测量(图 5.2.6－2)；机架窗口中心线水平偏斜和水平方向扭斜测量时，应在轧机机架窗口面测量(图 5.2.6－3)；轧机机架中心线测量时，应在轧机机架窗口面和内侧面测量(图 5.2.6－4)；连轧机相邻两机架平行度测量时，应在连轧机机架同侧窗口面测量(图 5.2.6－5)；机架与底座接触间隙测量时，应测量机架与底座间的水平面和侧面的间隙(图 5.2.6－6)。

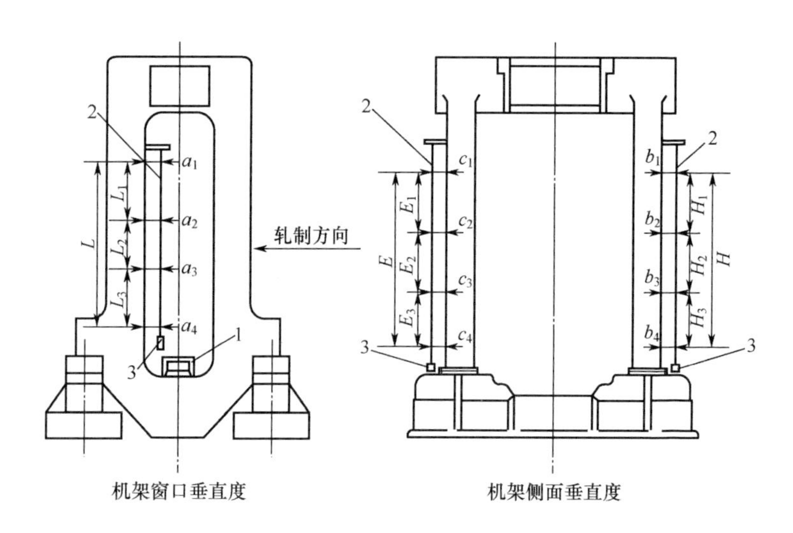

图 5.2.6－1　机架垂直度测量图

1—水平仪；2—测量铅垂线；3—重锤

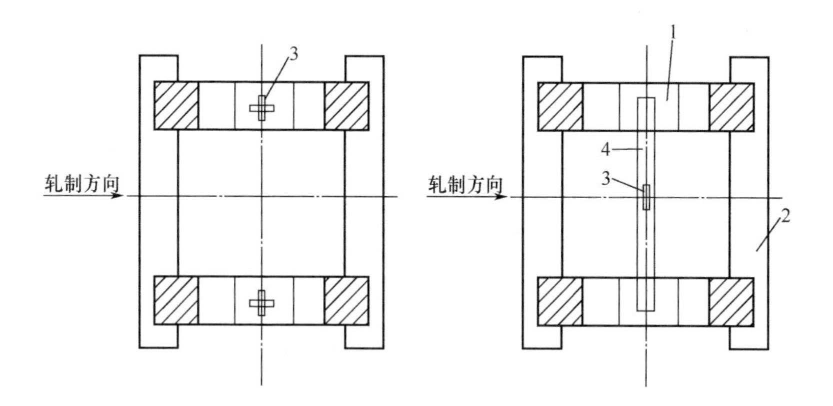

图 5.2.6-2　机架水平度测量图

1—机架；2—底座；3—水平仪；4—平尺

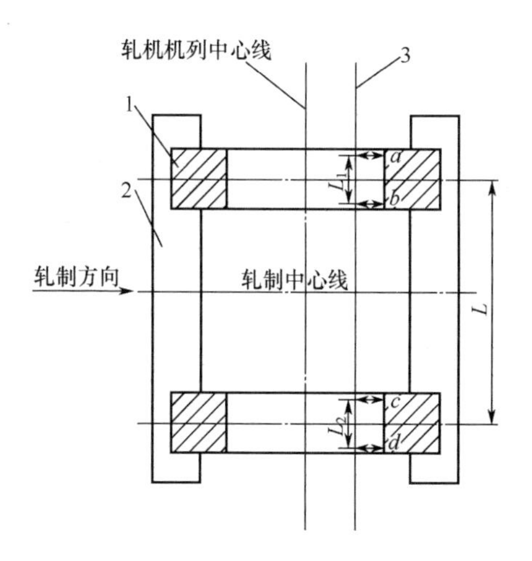

图 5.2.6-3　机架窗口中心线水平偏斜和水平方向扭斜测量图

1—机架；2—底座；3—与轧机机列中心线平行的辅助中心线

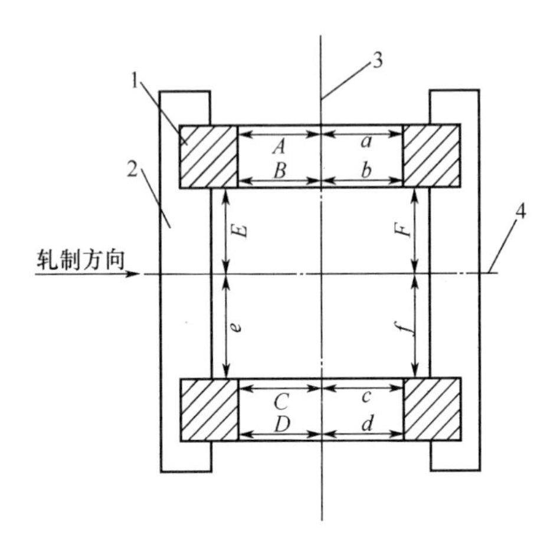

图 5.2.6-4　轧机机架中心线测量图

1—机架;2—底座;3—轧机机列中心钢琴线;4—轧制中心钢琴线

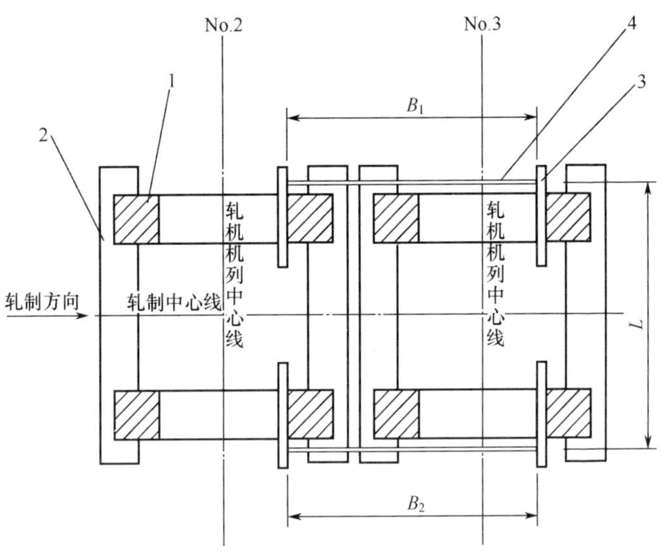

图 5.2.6-5　连轧机相邻两机架平行度测量图

1—机架;2—底座;3—短平尺;4—内径千分尺

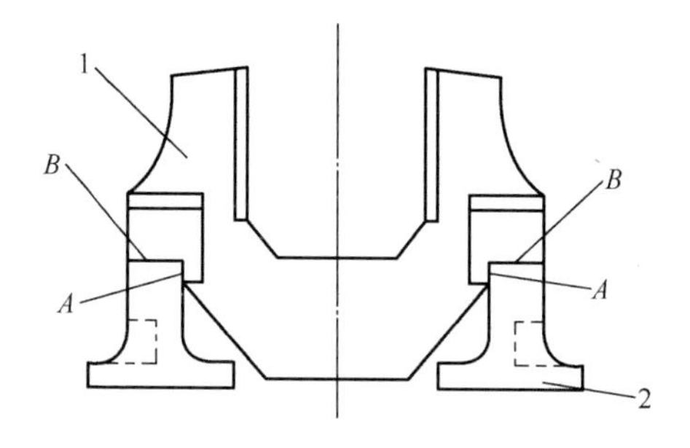

图 5.2.6－6　机架与底座接触间隙测量图

1—机架；2—底座

5.3　轧辊调整装置

一 般 项 目

5.3.1　齿轮传动及蜗轮蜗杆传动减速机的齿侧间隙、齿顶间隙、齿啮合接触面积和传动轴轴向窜动量应符合设计文件的要求，设计无要求时应符合现行国家标准《机械设备安装工程施工及验收通用规范》GB 50231 的有关规定，减速机各部件应密封严密。

检查数量：抽查 30%，且不应少于 1 台。

检验方法：检查安装质量记录，用着色法、压铅法、千分表和塞尺检查。

5.3.2　联轴器装配的两轴心径向位移、两轴线倾斜和联轴器的两端面间隙值应符合设计文件的要求，设计无要求时应符合现行国家标准《机械设备安装工程施工及验收通用规范》GB 50231 的有关规定。

检查数量：全数检查。

检验方法：检查安装质量记录，用百分表和塞尺检查。

5.3.3　横楔和纵楔调整装置的斜面接触应紧密、调整灵活，操作侧和传动侧与轴承座接触面的标高应一致。

检查数量:全数检查。

检验方法:观察检查,用塞尺和水准仪检查。

5.3.4 压下螺杆和螺母的间隙应符合设计文件的规定。

检查数量:全数检查。

检验方法:观察检查,用百分表检查。

5.3.5 轧辊调整装置安装允许偏差应符合表 5.3.5 的规定。

检查数量:全数检查。

检验方法:宜符合表 5.3.5 的规定。

表 5.3.5 轧辊调整装置安装允许偏差

<table>
<tr><th rowspan="2">项次</th><th rowspan="2" colspan="2">项　　目</th><th colspan="2">允许偏差(mm)</th><th rowspan="2">检 验 方 法</th></tr>
<tr><th>Ⅰ级</th><th>Ⅱ级</th></tr>
<tr><td rowspan="2">1</td><td rowspan="2">减速机</td><td>纵向水平度</td><td>0.05/1000</td><td>0.10/1000</td><td>用水平仪检查</td></tr>
<tr><td>横向水平度</td><td>0.05/1000</td><td>0.10/1000</td><td>用水平仪检查</td></tr>
<tr><td>2</td><td colspan="2">压下螺母与机架镗孔端面接触间隙</td><td colspan="2">四周 70%不入,局部允许 0.05 间隙</td><td>用 0.05mm 塞尺检查</td></tr>
<tr><td>3</td><td colspan="2">各减速机轴承同轴度</td><td>0.05</td><td>0.10</td><td>拉钢线、用内径千分尺检查</td></tr>
</table>

5.4 传 动 装 置

一 般 项 目

5.4.1 齿轮机座和减速机装配时,其传动齿轮的齿侧间隙、齿顶间隙、齿啮合接触面积和轴承装配及轴承轴向窜动量应符合设计文件的要求,设计无要求时应符合现行国家标准《机械设备安装工程施工及验收通用规范》GB 50231 的有关规定,减速机和齿轮机座各部件应密封严密。

检查数量：抽查30%，且不应少于1台。

检验方法：检查安装质量记录，用着色法、压铅法、千分表和塞尺检查。

5.4.2 万向联轴器半圆滑块与叉头的虎口面或扁头平面接触应均匀，半圆滑块与扁头之间的总间隙应在各配合间隙积累值范围内。

检查数量：全数检查。

检验方法：用塞尺检查。

5.4.3 齿轮机座上盖与上齿轮轴轴承座上平面应接触严密，其局部间隙不应大于0.05mm。

检查数量：全数检查。

检验方法：用塞尺检查。

5.4.4 联轴器装配的两轴心径向位移、两轴线倾斜和联轴器的两端面间隙值应符合设计文件的要求，设计无要求时应符合现行国家标准《机械设备安装工程施工及验收通用规范》GB 50231的有关规定。

检查数量：全数检查。

检验方法：检查安装质量记录，用百分表和塞尺检查。

5.4.5 轧机主减速机安装允许偏差应符合表5.4.5的规定。

检查数量：全数检查。

检验方法：宜符合表5.4.5的规定。

表5.4.5 轧机主减速机安装允许偏差

项次	项目		允许偏差(mm)		检验方法
			Ⅰ级	Ⅱ级	
1	纵向中心线		0.3	0.5	拉钢丝线、吊线锤、用钢尺检查
2	横向中心线		0.5	1.0	拉钢丝线、吊线锤、用钢尺检查
3	标高	根据基准点安装	±0.30	±0.50	用水准仪检查
		根据已安设备安装	±0.10	±0.25	用水准仪检查

续表 5.4.5

项次	项目	允许偏差(mm)		检验方法
		Ⅰ级	Ⅱ级	
4	纵向水平度	0.05/1000	0.10/1000	用水平仪检查
5	横向水平度	0.05/1000	0.10/1000	用水平仪检查

5.4.6 轧机齿轮机座安装允许偏差应符合表 5.4.6 的规定。

检查数量:全数检查。

检验方法:宜符合表 5.4.6 的规定。

表 5.4.6 轧机齿轮机座安装允许偏差

项次	项目	允许偏差(mm)		检验方法
		Ⅰ级	Ⅱ级	
1	纵向中心线	0.3	0.5	拉钢丝线、吊线锤、用钢尺检查
2	横向中心线	0.5	1.0	拉钢丝线、吊线锤、用钢尺检查
3	标高	±0.30	±0.50	用水准仪检查
4	纵向水平度	0.05/1000	0.10/1000	用水平仪检查
5	横向水平度	0.05/1000	0.10/1000	用水平仪检查

5.4.7 立式轧机下部传动装置安装允许偏差应符合表 5.4.7 的规定。

检查数量:全数检查。

检验方法:宜符合表 5.4.7 的规定。

表 5.4.7 立式轧机下部传动装置安装允许偏差

项次	项目	允许偏差(mm)		检验方法
		Ⅰ级	Ⅱ级	
1	下部传动相对机列中心线	0.2	0.3	拉钢丝线、吊线锤、用钢尺检查
2	传动装置标高	±0.50	±1.00	用水准仪检查

续表 5.4.7

<table>
<tr><th rowspan="2">项次</th><th colspan="2" rowspan="2">项　　目</th><th colspan="2">允许偏差(mm)</th><th rowspan="2">检验方法</th></tr>
<tr><th>Ⅰ级</th><th>Ⅱ级</th></tr>
<tr><td rowspan="2">3</td><td rowspan="2">水平度</td><td>减速机纵向水平度</td><td>0.05/1000</td><td>0.10/1000</td><td>用水平仪检查</td></tr>
<tr><td>减速机横向水平度</td><td>0.05/1000</td><td>0.10/1000</td><td>用水平仪检查</td></tr>
</table>

5.4.8 轧机主传动电机安装允许偏差应符合表 5.4.8 的规定。

检查数量:全数检查。

检验方法:宜符合表 5.4.8 的规定。

表 5.4.8 轧机主传动电机安装允许偏差

<table>
<tr><th rowspan="2">项次</th><th rowspan="2">项　　目</th><th colspan="2">允许偏差(mm)</th><th rowspan="2">检验方法</th></tr>
<tr><th>Ⅰ级</th><th>Ⅱ级</th></tr>
<tr><td>1</td><td>纵向中心线</td><td>0.3</td><td>0.5</td><td>拉钢丝线、吊线锤、用钢尺检查</td></tr>
<tr><td>2</td><td>横向中心线</td><td>0.5</td><td>1.0</td><td>拉钢丝线、吊线锤、用钢尺检查</td></tr>
<tr><td>3</td><td>标高</td><td>±0.30</td><td>±0.50</td><td>用水准仪检查</td></tr>
<tr><td>4</td><td>水平度</td><td>0.05/1000</td><td>0.10/1000</td><td>用平尺和水平仪检查</td></tr>
</table>

5.4.9 轧机主传动电机中心线应与轧机主减速机纵向(主传动方向)中心线一致。

5.5 换辊装置

一般项目

5.5.1 轨道或滑道与垫板或基础埋设件接触应紧密,螺栓紧固力应符合设计文件的规定。

检查数量:抽查 20%,且不应少于 4 处。

检验方法:观察检查,塞尺检查,用小锤轻击螺母检查。

5.5.2 齿轮与齿条啮合精度应符合设计文件的要求,设计无要求时应符合现行国家标准《机械设备安装工程施工及验收通用规范》

GB 50231 的有关规定。

检查数量：抽查 30%，且不应少于 1 台。

检验方法：用着色法、压铅法或塞尺检查，相邻两齿条接头处用齿形样板检查。

5.5.3 齿条式换辊装置安装允许偏差应符合表 5.5.3 的规定。

检查数量：全数检查。

检验方法：宜符合表 5.5.3 的规定。

表 5.5.3 齿条式换辊装置安装允许偏差

项次	项目	允许偏差(mm)		检验方法
		Ⅰ级	Ⅱ级	
1	钢轨中心线相对机架中心线	0.3	0.5	拉钢丝线、吊线锤、用钢尺检查
2	钢轨标高与机架间标高差	±0.10	±0.15	用平尺、水平仪及塞尺检查
3	同一横截面内两钢轨轨面高低差	±0.20	±0.30	用水准仪检查
4	钢轨纵向水平度	0.50/1000	0.80/1000	用水准仪检查
5	两钢轨的轨距	0.3	0.5	用钢尺检查
6	横移装置上的轨道与机内换辊轨道间标高差	±0.20	±0.30	用平尺及塞尺检查
7	横移装置上的轨道与机内换辊轨道接头处高低差	±0.10	±0.15	用平尺及塞尺检查
8	导轮间距	0～+0.20	0～+0.30	用内径千分尺检查
9	齿条垂直度	0.10/1000	0.20/1000	用水平仪检查

续表 5.5.3

项次	项目	允许偏差(mm)		检验方法
		Ⅰ级	Ⅱ级	
10	液压缸水平度	0.10/1000	0.20/1000	用水平仪检查
11	液压缸中心线	0.3	0.5	拉钢丝线、吊线锤、用钢尺检查

5.5.4 液压缸横移式换辊装置安装允许偏差应符合表 5.5.4 的规定。

检查数量：全数检查。

检验方法：宜符合表 5.5.4 的规定。

表 5.5.4 液压缸横移式换辊装置安装允许偏差

项次	项目		允许偏差(mm)		检验方法
			Ⅰ级	Ⅱ级	
1	工作辊换辊轨道	钢轨中心线相对机架中心线	0.3	0.5	拉钢丝线、吊线锤、用钢尺检查
		钢轨标高	±0.30	±0.50	用水准仪检查
		同一横截面内两钢轨轨面高低差	±0.20	±0.30	用水准仪检查
		钢轨纵向水平度	0.50/1000	0.80/1000	用水准仪检查
		两钢轨的轨距	1.0	1.5	用钢尺检查
		轨道与机内换辊轨道接头处高低差	±0.10	±0.15	用平尺及塞尺检查
2	支承辊换辊轨道	滑道中心线相对机架中心线	0.3	0.5	拉钢丝线、吊线锤、用钢尺检查
		滑道上平面标高	±0.30	±0.50	用水准仪检查
		滑道纵向水平度	0.30/1000	0.50/1000	用水平仪检查

续表 5.5.4

项次	项目		允许偏差(mm)		检验方法
			Ⅰ级	Ⅱ级	
2	支承辊换辊轨道	同一横截面内两滑道上平面高低差	±0.20	±0.30	用水准仪检查
		两滑道的间距	0.5	1.0	用钢尺检查
		滑道与机内换辊滑道接头处高低差	±0.10	±0.15	用平尺及塞尺检查
		液压缸纵向中心线	0.5	1.0	拉钢丝线、吊线锤、用钢尺检查
		液压缸横向中心线	0.5	1.0	拉钢丝线、吊线锤、用钢尺检查
		液压缸水平度	0.10/1000	0.20/1000	用水平仪检查

5.6 试 运 转

5.6.1 轧机低速压下装置、高速压下装置往返运转均不应少于5次,高低极限位置准确。

检验方法:观察检查,检查试运转记录。

5.6.2 主传动电动机空载试运转不应少于0.5h;电动机带动减速机试运转不应少于0.5h;电动机带动减速机、齿轮机座试运转不应少于0.5h;电动机带动减速机、齿轮机座和轧机试运转,按额定转速的25%、50%、75%、100%分别试运转不应少于2h。可逆式轧机应按上述4个等级正反转均不应少于1h。当数台轧机由一个传动装置带动时,应在第一台轧机试运转后,方能带动第二台轧机,以此类推,直至最后一台轧机试运转完毕。

检验方法:观察检查,检查试运转记录。

5.6.3 换辊装置及其他设备往返运行均不应少于5次,停止位置应符合设计文件的规定。

检验方法:观察检查,检查试运转记录。

6 剪　切　机

6.1 一 般 规 定

6.1.1 螺栓紧固力应符合设计文件的规定。

6.1.2 剪切机的剪刃重叠量和剪刃间隙应符合设计文件的规定。

6.2 钢坯剪切机

一 般 项 目

6.2.1 机械零部件及联接螺栓的压装配、热装配、冷装配应符合设计文件的规定。

检查数量:抽查 30%,且不应少于 4 处。

检验方法:观察检查,检查安装质量记录。

6.2.2 钢坯剪切机底座安装允许偏差应符合表 6.2.2 的规定。

检查数量:全数检查。

检验方法:宜符合表 6.2.2 的规定。

表 6.2.2 钢坯剪切机底座安装允许偏差

<table>
<tr><th>项次</th><th colspan="2">项　　目</th><th>允许偏差
(mm)</th><th>检验方法</th></tr>
<tr><td>1</td><td colspan="2">标高</td><td>±0.50</td><td>用水准仪检查</td></tr>
<tr><td>2</td><td colspan="2">纵向中心线</td><td>1.0</td><td>拉钢丝线、吊线锤、用钢尺检查</td></tr>
<tr><td>3</td><td colspan="2">横向中心线</td><td>1.0</td><td>拉钢丝线、吊线锤、用钢尺检查</td></tr>
<tr><td rowspan="2">4</td><td rowspan="2">水平度</td><td>单独底座</td><td>0.10/1000</td><td>用水平仪检查</td></tr>
<tr><td>两底座间</td><td>0.10/1000</td><td>用平尺和水平仪检查</td></tr>
<tr><td rowspan="2">5</td><td rowspan="2">相对剪子中心线的平行度</td><td>基准底座的侧面</td><td>0.10/1000</td><td>拉钢丝线、用内径千分尺检查</td></tr>
<tr><td>两底座间的侧面</td><td>0.10/1000</td><td>用内径千分尺检查</td></tr>
</table>

6.2.3 钢坯剪切机机架安装允许偏差应符合表6.2.3的规定。

检查数量：全数检查。

检验方法：宜符合表6.2.3的规定。

表6.2.3 钢坯剪切机机架安装允许偏差

<table>
<tr><th>项次</th><th colspan="2">项 目</th><th>允许偏差(mm)</th><th>检验方法</th></tr>
<tr><td rowspan="2">1</td><td rowspan="2">垂直度</td><td>机架窗口面</td><td>0.20/1000</td><td>吊垂线、用内径千分尺、耳机或灯光检查</td></tr>
<tr><td>机架侧面</td><td>0.20/1000</td><td>吊垂线、用内径千分尺、耳机或灯光检查</td></tr>
<tr><td rowspan="3">2</td><td rowspan="3">水平度</td><td>轧制方向</td><td>0.10/1000</td><td>用水平仪检查</td></tr>
<tr><td>垂直轧制方向</td><td>0.20/1000</td><td>用水平仪检查</td></tr>
<tr><td>两机架间</td><td>0.20/1000</td><td>用平尺、块规、水平仪检查</td></tr>
<tr><td>3</td><td colspan="2">机架中心线</td><td>1.0</td><td>拉钢丝线、吊线锤、用钢尺检查</td></tr>
<tr><td rowspan="2">4</td><td rowspan="2">出口侧机架侧面相对轧制中心线的平行度</td><td>单机架</td><td>0.20/1000</td><td>拉钢丝线、用内径千分尺、耳机或灯光检查</td></tr>
<tr><td>两机架间</td><td>0.15/1000</td><td>用内径千分尺、耳机或灯光检查</td></tr>
<tr><td rowspan="2">5</td><td rowspan="2">机架与底座接触间隙</td><td>上下平面</td><td>四周70%不入，局部允许0.05间隙</td><td>用0.05mm塞尺检查</td></tr>
<tr><td>侧面</td><td>四周70%不入，局部允许0.05间隙</td><td>用0.05mm塞尺检查</td></tr>
</table>

6.2.4 钢坯剪切机换刃装置安装允许偏差应符合表6.2.4的规定。

检查数量:全数检查。

检验方法:宜符合表 6.2.4 的规定。

表 6.2.4 钢坯剪切机换刃装置安装允许偏差

<table>
<tr><th>项次</th><th colspan="2">项　　目</th><th>允许偏差(mm)</th><th>检验方法</th></tr>
<tr><td>1</td><td colspan="2">轨道相对剪切机机架中心线</td><td>0.3</td><td>拉钢丝线、吊线锤、用钢尺检查</td></tr>
<tr><td>2</td><td colspan="2">滑道相对轧制中心线</td><td>1.0</td><td>拉钢丝线、吊线锤、用钢尺检查</td></tr>
<tr><td rowspan="2">3</td><td rowspan="2">轨(滑)道水平度</td><td>剪切机中心线方向</td><td>0.10/1000</td><td>用平尺和水平仪检查</td></tr>
<tr><td>垂直剪切机中心线方向</td><td>0.20/1000</td><td>用平尺和水平仪检查</td></tr>
<tr><td>4</td><td colspan="2">标高</td><td>±0.30</td><td>用水准仪检查</td></tr>
<tr><td>5</td><td colspan="2">液压缸水平度</td><td>0.20/1000</td><td>用水平仪检查</td></tr>
<tr><td>6</td><td colspan="2">轨道与底座间隙</td><td>0.50～1.00</td><td>用塞尺检查</td></tr>
</table>

6.3 钢板剪切机

一 般 项 目

6.3.1 切头剪安装允许偏差应符合表 6.3.1 的规定。

检查数量:全数检查。

检验方法:宜符合表 6.3.1 的规定。

表 6.3.1 切头剪安装允许偏差

<table>
<tr><th>项次</th><th colspan="2">项　　目</th><th>允许偏差(mm)</th><th>检验方法</th></tr>
<tr><td rowspan="3">1</td><td rowspan="3">机架</td><td>标高</td><td>±0.50</td><td>用水准仪检查</td></tr>
<tr><td>横向中心线</td><td>1.0</td><td>拉钢丝线、吊线锤、用钢尺检查</td></tr>
<tr><td>纵向中心线</td><td>1.0</td><td>拉钢丝线、吊线锤、用钢尺检查</td></tr>
<tr><td>2</td><td>上刀架</td><td>与剪机中心线</td><td>1.0</td><td>拉钢丝线、吊线锤、用钢尺检查</td></tr>
</table>

续表 6.3.1

项次	项目		允许偏差(mm)	检验方法
3	下刀架	标高	±0.50	用水准仪检查
		横向中心线	1.0	拉钢丝线、吊线锤、用钢尺检查
		纵向中心线	1.0	拉钢丝线、吊线锤、用钢尺检查
4	主传动平台	标高	±0.50	用水准仪检查
		横向中心线	1.0	拉钢丝线、吊线锤、用钢尺检查
		纵向中心线	1.0	拉钢丝线、吊线锤、用钢尺检查
5	试样或废料装置	标高	±1.00	用水准仪检查
		横向中心线	1.0	拉钢丝线、吊线锤、用钢尺检查
		纵向中心线	1.0	拉钢丝线、吊线锤、用钢尺检查
6	换刀装置	标高	±0.50	用水准仪检查
		横向中心线	1.0	拉钢丝线、吊线锤、用钢尺检查
		纵向中心线	1.0	拉钢丝线、吊线锤、用钢尺检查
7	剪刃相对机组中心线的垂直度		0.10/1000	拉钢丝线、吊线锤、用内径千分尺或直角尺检查

6.3.2 双边剪安装允许偏差应符合表 6.3.2 的规定。

检查数量:全数检查。

检验方法:宜符合表 6.3.2 的规定。

表 6.3.2 双边剪安装允许偏差

项次	项目	允许偏差(mm)	检验方法
1	底座标高	±0.50	用水准仪检查
2	底座横向中心线	1.0	拉钢丝线、吊线锤、用钢尺检查
3	底座纵向中心线	1.0	拉钢丝线、吊线锤、用钢尺检查

续表 6.3.2

项次	项目		允许偏差（mm）	检验方法
4	底座水平度	单个底座	0.10/1000	用水平仪检查
		两底座间	0.10/1000	用平尺和水平仪检查
5	底座平行度	单个底座相对中心线	0.10/1000	拉钢丝线、用内径千分尺检查
		两底座板间	0.10/1000	用内径千分尺或样棒检查
6	机架标高		±0.50	用水准仪检查
7	机架横向中心线		1.0	拉钢丝线、吊线锤、用钢尺检查
8	机架纵向中心线		1.0	拉钢丝线、吊线锤、用钢尺检查
9	固定侧移动侧机架高低差		±0.20	用水准仪检查
10	机架水平度	单个机架	0.10/1000	用水平仪检查
		两机架间	0.10/1000	用平尺和水平仪检查
11	机架平行度	单个机架相对中心线	0.10/1000	拉钢丝线、用内径千分尺检查
		两机架间	0.10/1000	用内径千分尺或样棒检查
12	导轨与机架间的间隙		0.10	用塞尺检查
13	导轨	标高	±0.50	用水准仪检查
		两导轨相对高低差	±0.20	用水准仪检查
		横向中心线	0.5	拉钢丝线、吊线锤、用钢尺检查
		纵向中心线	0.5	拉钢丝线、吊线锤、用钢尺检查
14	移动剪导轨水平度	非液压式	0.05/1000	用平尺和水平仪检查
		液压式	0.03/1000	用平尺和水平仪检查

续表 6.3.2

项次	项目		允许偏差(mm)	检验方法
15	移动剪导轨在垂直平面内的直线度	非液压式	0.05/1000	吊线锤、用内径千分尺或水平仪检查
		液压式	0.03/1000	吊线锤、用内径千分尺或水平仪检查
16	移动剪导轨在垂直平面内的平行度	非液压式	0.05/1000	吊线锤、用内径千分尺或水平仪检查
		液压式	0.03/1000	吊线锤、用内径千分尺或水平仪检查
17	固定剪与移动剪平行度		0.10/1000	用内径千分尺检查
18	剪刃相对机组中心线的垂直度		0.20/1000	拉钢丝线、吊线锤、用内径千分尺或直角尺检查
19	夹送辊与下剪刃的相对高低差		±0.20	用水准仪检查

6.3.3 剖分剪安装允许偏差应符合表 6.3.3 的规定。

检查数量:全数检查。

检验方法:宜符合表 6.3.3 的规定。

表 6.3.3 剖分剪安装允许偏差

项次	项目		允许偏差(mm)	检验方法
1	底座	标高	±0.50	用水准仪检查
		横向中心线	1.0	拉钢丝线、吊线锤、用钢尺检查
		纵向中心线	1.0	拉钢丝线、吊线锤、用钢尺检查
2	导轨相对剖分剪中心线		0.3	拉钢丝线、用内径千分尺检查

续表 6.3.3

项次	项目		允许偏差(mm)	检验方法
3	两导轨的间距		1.0	拉钢丝线、用钢尺检查
4	导轨直线度		1.00	拉钢丝线、用钢尺检查
5	导轨水平度	单侧导轨	0.10/1000	用水平仪检查
		两侧导轨	0.10/1000	用平尺和水平仪检查
6	导轨平行度		0.10/1000	拉钢丝线、用内径千分尺检查
7	导轨与移动剪架走行装置间的间隙		0.10	用塞尺检查
8	圆盘式剪刃悬臂相对机组中心线的垂直度		0.10/1000	拉钢丝线、吊线锤、用内径千分尺或直角尺检查
9	滚切式剪刃相对机组中心线的平行度		0.10/1000	拉钢丝线、吊线锤、用内径千分尺或摇臂检查
10	剪刃的铅垂度		0.50	吊线锤、用内径千分尺检查
11	剪刃相对夹送辊的平行度		0.10/1000	拉钢丝线、用内径千分尺检查

6.3.4 定尺剪安装允许偏差应符合表 6.3.4 的规定。

检查数量:全数检查。

检验方法:宜符合表 6.3.4 的规定。

表 6.3.4 定尺剪安装允许偏差

项次	项目		允许偏差(mm)	检验方法
1	机架	标高	±0.50	用水准仪检查
		横向中心线	1.0	拉钢丝线、吊线锤、用钢尺检查
		纵向中心线	1.0	拉钢丝线、吊线锤、用钢尺检查

续表 6.3.4

项次	项目		允许偏差(mm)	检验方法
2	上刀架	与剪机中心线	1.0	拉钢丝线、吊线锤、用钢尺检查
3	下刀架	标高	±0.50	用水准仪检查
		横向中心线	1.0	拉钢丝线、吊线锤、用钢尺检查
		纵向中心线	1.0	拉钢丝线、吊线锤、用钢尺检查
4	主传动平台	标高	±0.50	用水准仪检查
		横向中心线	1.0	拉钢丝线、吊线锤、用钢尺检查
		纵向中心线	1.0	拉钢丝线、吊线锤、用钢尺检查
5	试样或废料装置	标高	±1.00	用水准仪检查
		横向中心线	1.0	拉钢丝线、吊线锤、用钢尺检查
		纵向中心线	1.0	拉钢丝线、吊线锤、用钢尺检查
6	换刀装置	标高	±0.50	用水准仪检查
		横向中心线	1.0	拉钢丝线、吊线锤、用钢尺检查
		纵向中心线	1.0	拉钢丝线、吊线锤、用钢尺检查
7	剪刃相对机组中心线的垂直度		0.10/1000	拉钢丝线、吊线锤、用内径千分尺或直角尺检查

6.3.5 圆盘剪安装允许偏差应符合表 6.3.5 的规定。

检查数量:全数检查。

检验方法:宜符合表 6.3.5 的规定。

表 6.3.5 圆盘剪安装允许偏差

项次	项目		允许偏差(mm)	检验方法
1	底座	标高	±0.50	用水准仪检查
		横向中心线	1.0	拉钢丝线、吊线锤、用钢尺检查
		纵向中心线	1.0	拉钢丝线、吊线锤、用钢尺检查

续表 6.3.5

项次	项目		允许偏差（mm）	检验方法
2	导轨相对圆盘剪中心线		0.3	拉钢丝线、用内径千分尺检查
3	两导轨的间距		1.0	拉钢丝线、用钢尺检查
4	导轨的直线度		1.00	拉钢丝线、用钢尺检查
5	导轨水平度	单侧导轨	0.10/1000	用水平仪检查
		两侧导轨	0.10/1000	用平尺和水平仪检查
6	导轨平行度		0.10/1000	拉钢丝线、用内径千分尺检查
7	导轨与走行装置间的间隙		0.10	用塞尺检查
8	剪刃相对机组中心线的垂直度		0.10/1000	拉钢丝线、吊线锤、用内径千分尺或直角尺检查

6.4 带钢剪切机

一般项目

6.4.1 入口剪安装允许偏差应符合表 6.4.1 的规定。

检查数量：全数检查。

检验方法：宜符合表 6.4.1 的规定。

表 6.4.1 入口剪安装允许偏差

项次	项目	允许偏差（mm）	检验方法
1	标高	±0.50	用水准仪检查
2	横向中心线	1.0	拉钢丝线、吊线锤、用钢尺检查
3	纵向中心线	1.0	拉钢丝线、吊线锤、用钢尺检查
4	剪刃相对机组中心线的垂直度	0.10/1000	拉钢丝线、吊线锤、用内径千分尺或摇臂检查

续表 6.4.1

项次	项目	允许偏差(mm)	检验方法
5	剪刃铅垂度	0.50	吊线锤、用内径千分尺检查
6	剪刃相对夹送辊的平行度	0.10/1000	拉钢丝线、用内径千分尺检查

6.4.2 圆盘剪安装允许偏差应符合表 6.4.2 的规定。

检查数量:全数检查。

检验方法:宜符合表 6.4.2 的规定。

表 6.4.2 圆盘剪安装允许偏差

项次	项目		允许偏差(mm)	检验方法
1	底座	标高	±0.50	用水准仪检查
		横向中心线	1.0	拉钢丝线、吊线锤、用钢尺检查
		纵向中心线	1.0	拉钢丝线、吊线锤、用钢尺检查
2	导轨相对圆盘剪中心线		0.3	拉钢丝线、用内径千分尺检查
3	两导轨的间距		1.0	拉钢丝线、用钢尺检查
4	导轨的直线度		1.00	拉钢丝线、用钢尺检查
5	导轨水平度	单侧导轨	0.10/1000	用水平仪检查
		两侧导轨	0.10/1000	用平尺和水平仪检查
6	导轨平行度		0.10/1000	拉钢丝线、用内径千分尺检查
7	导轨与走行装置间的间隙		0.10	用塞尺检查
8	剪刃相对机组中心线的垂直度		0.10/1000	拉钢丝线、吊线锤、用内径千分尺或直角尺检查

6.4.3 碎边剪安装允许偏差应符合表 6.4.3 的规定。

检查数量:全数检查。

检验方法:宜符合表 6.4.3 的规定。

表 6.4.3 碎边剪安装允许偏差

项次	项目		允许偏差(mm)	检验方法
1	底座	标高	±0.50	用水准仪检查
		横向中心线	1.0	拉钢丝线、吊线锤、用钢尺检查
		纵向中心线	1.0	拉钢丝线、吊线锤、用钢尺检查
2	导轨相对碎边剪中心线		0.3	拉钢丝线、用内径千分尺检查
3	两导轨的间距		1.0	拉钢丝线、用钢尺检查
4	导轨的直线度		1.00	拉钢丝线、用钢尺检查
5	导轨水平度	单侧导轨	0.10/1000	用水平仪检查
		两侧导轨	0.10/1000	用平尺和水平仪检查
6	导轨平行度	单侧导轨	0.10/1000	拉钢丝线、用内径千分尺检查
7	导轨与走行装置间的间隙		0.10	用塞尺检查
8	剪刃相对机组中心线的垂直度		0.10/1000	拉钢丝线、吊线锤、用内径千分尺或直角尺检查

6.4.4 月牙剪安装允许偏差应符合表 6.4.4 的规定。

检查数量:全数检查。

检验方法:宜符合表 6.4.4 的规定。

表 6.4.4 月牙剪安装允许偏差

项次	项目		允许偏差(mm)	检验方法
1	底座	标高	±0.50	用水准仪检查
		横向中心线	1.0	拉钢丝线、吊线锤、用钢尺检查
		纵向中心线	1.0	拉钢丝线、吊线锤、用钢尺检查

续表 6.4.4

项次	项目	允许偏差(mm)	检验方法
2	导轨相对月牙剪中心线	0.3	拉钢丝线、用内径千分尺检查
3	两导轨的间距	1.0	拉钢丝线、用钢尺检查
4	导轨的直线度	1.00	拉钢丝线、用钢尺检查
5	导轨水平度	0.10/1000	用平尺和水平仪检查
6	导轨平行度	0.10/1000	拉钢丝线、用内径千分尺检查
7	导轨滑行面间隙	四周70%不入,局部允许0.05间隙	用0.05mm塞尺检查
8	剪刃相对机组中心线的平行度	0.10/1000	拉钢丝线、吊线锤、用内径千分尺或摇臂检查

6.4.5 飞剪安装允许偏差应符合表6.4.5的规定。

检查数量:全数检查。

检验方法:宜符合表6.4.5的规定。

表 6.4.5 飞剪安装允许偏差

项次	项目		允许偏差(mm)	检验方法
1	底座	标高	±0.50	用水准仪检查
		横向中心线	1.0	拉钢丝线、吊线锤、用钢尺检查
		纵向中心线	1.0	拉钢丝线、吊线锤、用钢尺检查
2	机架与底座接触间隙		四周70%不入,局部允许0.05间隙	用0.05mm塞尺检查
3	机架中心线		1.0	拉钢丝线、吊线锤、用钢尺检查
4	机架垂直度		0.10/1000	吊线锤、用内径千分尺检查

续表 6.4.5

项次	项目	允许偏差 (mm)	检验方法
5	镗孔剖分面上水平度	0.10/1000	用水平仪检查
6	镗孔同轴度	0.10	拉钢丝、用内径千分尺检查
7	剪刃相对机组中心线的垂直度	0.10/1000	拉钢丝线、吊线锤、用内径千分尺或直角尺检查
8	剪刃铅垂度	0.50	吊线锤、用内径千分尺检查

6.5 传动减速机

一般项目

6.5.1 减速机装配时，其传动齿轮的齿侧间隙、齿顶间隙、齿啮合接触面积和轴承装配及轴承轴向窜动量应符合设计文件的要求，设计无要求时应符合现行国家标准《机械设备安装工程施工及验收通用规范》GB 50231 的有关规定，减速机各部件应密封严密。

检查数量：抽查 30%，且不应少于 1 台。

检验方法：检查安装质量记录，用着色法、压铅法、千分表和塞尺检查。

6.5.2 联轴器装配的两轴心径向位移、两轴线倾斜和联轴器的两端面间隙值应符合设计文件的要求，设计无要求时应符合现行国家标准《机械设备安装工程施工及验收通用规范》GB 50231 的有关规定。

检查数量：全数检查。

检验方法：抽查安装质量记录，用百分表和塞尺检查。

6.5.3 传动减速机安装允许偏差应符合表 6.5.3 的规定。

检查数量：全数检查。

检验方法：宜符合表 6.5.3 的规定。

表 6.5.3 传动减速机安装允许偏差

项次	项目		允许偏差(mm)	检验方法
1	中心线	相对轧制中心线	1.0	拉钢丝线、吊线锤、用钢尺检查
		相对剪切机中心线	0.3	拉钢丝线、吊线锤、用内径千分尺检查
2	标高		±0.50	用水准仪检查
3	水平度		0.10/1000	用平尺和水平仪检查
4	减速机与机架接触面间隙		四周70%不入,局部允许0.05间隙	用0.05mm塞尺检查

6.6 试 运 转

6.6.1 试运行时,应先以手动方式试验各部件动作,然后以自动方式进行空负荷试运转。设备上的液压缸、气动缸、电液缸等往返运行均不应少于5次。

检验方法:观察检查,检查试运转记录。

6.6.2 剪切机连续试运转不应少于2h。焊接连接部位不得出现变形、开裂等缺陷。

检验方法:观察检查,检查试运转记录。

6.6.3 剪刃侧隙调整机构在给定剪刃值后,试运行不应少于5次,侧隙的调整应准确及均匀。剪刃重叠量应符合设计技术文件的规定。

检验方法:观察检查,检查试运转记录。

6.6.4 主电机制动器制动次数不应少于5次,制动应平稳、准确。

检验方法:观察检查,检查试运转记录。

7 开卷机和卷取机

7.1 开 卷 机

一 般 项 目

7.1.1 联轴器装配的两轴心径向位移、两轴线倾斜和联轴器的两端面间隙值应符合设计文件的要求，设计无要求时应符合现行国家标准《机械设备安装工程施工及验收通用规范》GB 50231 的有关规定。

检查数量：全数检查。

检验方法：检查安装质量记录，用百分表和塞尺检查。

7.1.2 移动式开卷机的主机与底座滑道间的间隙应符合设计文件的规定。

检查数量：抽查 30%，且不应少于 1 台。

检验方法：检查安装质量记录，用塞尺检查。

7.1.3 冷轧带钢开卷机安装允许偏差应符合表 7.1.3 的规定。

检查数量：全数检查。

检验方法：宜符合表 7.1.3 的规定。

表 7.1.3 冷轧带钢开卷机安装允许偏差

<table>
<tr><th rowspan="2">项次</th><th rowspan="2" colspan="2">项 目</th><th colspan="2">允许偏差(mm)</th><th rowspan="2">检 验 方 法</th></tr>
<tr><th>Ⅰ级</th><th>Ⅱ级</th></tr>
<tr><td>1</td><td colspan="2">纵向中心线</td><td>1.0</td><td>1.5</td><td>拉钢丝线、吊线锤、用钢尺检查</td></tr>
<tr><td>2</td><td colspan="2">横向中心线</td><td>0.5</td><td>1.0</td><td>拉钢丝线、吊线锤、用钢尺检查</td></tr>
<tr><td>3</td><td colspan="2">标高</td><td>±0.50</td><td>±1.00</td><td>用水准仪检查</td></tr>
<tr><td rowspan="2">4</td><td rowspan="2">水平度</td><td>底座水平度</td><td>0.05/1000</td><td>0.10/1000</td><td>用水平仪检查</td></tr>
<tr><td>卷筒水平度</td><td>0.05/1000</td><td>0.10/1000</td><td>吊线锤、用摇臂、内径千分尺检查</td></tr>
</table>

续表 7.1.3

项次	项　　目	允许偏差(mm)		检验方法
		Ⅰ级	Ⅱ级	
5	卷筒相对机组中心线的垂直度	0.05/1000	0.10/1000	拉钢丝线、用摇臂、内径千分尺检查

7.1.4 开卷机的水平度应是卷筒悬臂端高于驱动端，开卷机卷筒相对机组中心线的垂直度应是卷筒悬臂端背离出料方向侧。

7.2 卷　取　机

一 般 项 目

7.2.1 联轴器装配的两轴心径向位移、两轴线倾斜和联轴器的两端面间隙值应符合设计文件的要求，设计无要求时应符合现行国家标准《机械设备安装工程施工及验收通用规范》GB 50231 的有关规定。

检查数量：全数检查。

检验方法：检查安装质量记录，用百分表和塞尺检查。

7.2.2 移动式卷取机的主机与底座滑道间的间隙应符合设计文件的规定。

检查数量：抽查 30%，且不应少于 1 台。

检验方法：检查安装质量记录，用塞尺检查。

7.2.3 开式齿轮传动及减速机的齿侧间隙、齿顶间隙、齿啮合接触面积和传动轴轴向窜动量应符合设计文件的要求，设计无要求时应符合现行国家标准《机械设备安装工程施工及验收通用规范》GB 50231 的有关规定，减速机各部件应密封严密。

检查数量：抽查 30%，且不应少于 1 台。

检验方法：检查安装质量记录，用着色法、压铅法、千分表和塞尺检查。

7.2.4 冷轧带钢卷取机安装允许偏差应符合表 7.2.4 的规定。

检查数量：全数检查。

检验方法：宜符合表7.2.4的规定。

表7.2.4 冷轧带钢卷取机安装允许偏差

<table>
<tr><th rowspan="2">项次</th><th rowspan="2" colspan="2">项　目</th><th colspan="2">允许偏差(mm)</th><th rowspan="2">检验方法</th></tr>
<tr><th>Ⅰ级</th><th>Ⅱ级</th></tr>
<tr><td>1</td><td colspan="2">纵向中心线</td><td>1.0</td><td>1.5</td><td>拉钢丝线、吊线锤、用钢尺检查</td></tr>
<tr><td>2</td><td colspan="2">横向中心线</td><td>0.5</td><td>1.0</td><td>拉钢丝线、吊线锤、用钢尺检查</td></tr>
<tr><td>3</td><td colspan="2">标高</td><td>±0.50</td><td>±1.00</td><td>用水准仪检查</td></tr>
<tr><td rowspan="2">4</td><td rowspan="2">水平度</td><td>底座水平度</td><td>0.05/1000</td><td>0.10/1000</td><td>用水平仪检查</td></tr>
<tr><td>卷筒水平度</td><td>0.05/1000</td><td>0.10/1000</td><td>吊线锤、用摇臂、内径千分尺检查</td></tr>
<tr><td>5</td><td colspan="2">卷筒相对机组中心线的垂直度</td><td>0.05/1000</td><td>0.10/1000</td><td>拉钢丝线、用摇臂、内径千分尺检查</td></tr>
</table>

7.2.5 冷轧回转式双卷筒卷取机安装允许偏差应符合表7.2.5的规定。

检查数量：全数检查。

检验方法：宜符合表7.2.5的规定。

表7.2.5 冷轧回转式双卷筒卷取机安装允许偏差

<table>
<tr><th>项次</th><th colspan="2">项　目</th><th>允许偏差(mm)</th><th>检验方法</th></tr>
<tr><td rowspan="5">1</td><td rowspan="5">回转齿轮箱支承装置</td><td>纵向中心线</td><td>1.0</td><td>拉钢丝线、吊线锤、用钢尺检查</td></tr>
<tr><td>横向中心线</td><td>0.5</td><td>拉钢丝线、吊线锤、用钢尺检查</td></tr>
<tr><td>标高</td><td>±0.50</td><td>用水准仪检查</td></tr>
<tr><td>单个底座纵、横向水平度</td><td>0.05/1000</td><td>用水平仪检查</td></tr>
<tr><td>两底座水平度</td><td>0.05/1000</td><td>用平尺和水平仪检查</td></tr>
</table>

续表 7.2.5

项次	项目		允许偏差(mm)	检验方法
2	传动齿轮箱与回转齿轮箱	纵向中心线	1.0	拉钢丝线、吊线锤、用钢尺检查
		横向中心线	0.5	拉钢丝线、吊线锤、用钢尺检查
		标高	±0.50	用水准仪检查
		水平度	0.05/1000	用平尺和水平仪检查
		空心轴镗孔同轴度	0.05	拉钢丝线、用内径千分尺检查
3	卷筒	相对机组中心线的垂直度	0.05/1000	拉钢丝线、用摇臂、内径千分尺检查
		筒身水平度	0.05/1000	吊线锤、用摇臂、内径千分尺检查
4	回转驱动装置	纵向中心线	1.0	拉钢丝线、吊线锤、用钢尺检查
		横向中心线	0.5	拉钢丝线、吊线锤、用钢尺检查
		标高	±0.50	用水准仪检查
		水平度	0.10/1000	用平尺和水平仪检查

7.2.6 热轧带钢卷取机安装允许偏差应符合表 7.2.6 的规定。

检查数量:全数检查。

检验方法:宜符合表 7.2.6 的规定。

表 7.2.6 热轧带钢卷取机安装允许偏差

项次	项目	允许偏差(mm)	检验方法
1	纵向中心线	0.5	拉钢丝线、吊线锤、用钢尺检查
2	横向中心线	0.5	拉钢丝线、吊线锤、用钢尺检查
3	标高	±0.50	用水准仪检查
4	底座滑道纵向水平度	0.05/1000	用平尺和水平仪检查
5	底座滑道横向水平度	0.05/1000	用平尺和水平仪检查

续表 7.2.6

项次	项目	允许偏差(mm)	检验方法
6	卷筒相对轧制中心线垂直度	0.10/1000	拉钢丝线、用摇臂、内径千分尺检查
7	各辊系相对轧制中心线垂直度	0.10/1000	拉钢丝线、用摇臂、内径千分尺检查
8	卷筒水平度	0.10/1000	吊线锤、用摇臂、内径千分尺检查
9	各辊系辊面水平度	0.10/1000	用水平仪检查
10	传动装置相对卷筒高度差	±0.30	用水准仪检查
11	传动装置水平度	0.10/1000	用水平仪检查

7.2.7 卷取机的水平度应是卷筒悬臂端高于驱动端，卷取机卷筒相对机组中心线的垂直度应是卷筒悬臂端背离来料方向侧。

7.3 热卷箱

一般项目

7.3.1 联轴器装配的两轴心径向位移、两轴线倾斜和联轴器的两端面间隙值应符合设计文件的要求，设计无要求时应符合现行国家标准《机械设备安装工程施工及验收通用规范》GB 50231 的有关规定。

检查数量：全数检查。

检验方法：检查安装质量记录，用百分表和塞尺检查。

7.3.2 热卷箱安装允许偏差应符合表 7.3.2 的规定。

检查数量：全数检查。

检验方法：宜符合表 7.3.2 的规定。

表 7.3.2 热卷箱安装的允许偏差

项次	项目		允许偏差（mm）	检验方法
1	热卷箱本体	机架纵向中心线	0.3	拉钢丝线、吊线锤、用钢尺检查
		机架横向中心线	0.5	拉钢丝线、吊线锤、用钢尺检查
		机架标高	±0.30	用水准仪检查
		偏转辊、下弯曲辊轴向水平度	0.10/1000	用平尺和水平仪检查
		稳定器侧推板相对轧制中心线	2.0	拉钢丝线、吊线锤、用钢尺检查
2	卷取、开卷站	托卷辊辊面水平度（沿轧制方向）	0.10/1000	用平尺和水平仪检查
		托卷辊辊面水平度（沿辊轴方向）	0.10/1000	用水平仪检查
		托卷辊相对轧制中心线的垂直度	0.10/1000	拉钢丝线、用摇臂、内径千分尺检查
3	夹送辊	纵向中心线	0.5	拉钢丝线、吊线锤、用钢尺检查
		横向中心线	3.0	拉钢丝线、吊线锤、用钢尺检查
		标高	±0.30	用水准仪检查
		水平度	0.10/1000	用水平仪检查
		垂直度	0.10/1000	拉钢丝线、用摇臂、内径千分尺检查

7.4 辅助设备

一般项目

7.4.1 助卷器安装允许偏差应符合表 7.4.1 的规定。

检查数量：全数检查。

检验方法：宜符合表 7.4.1 的规定。

表 7.4.1 助卷器安装允许偏差

项次	项目	允许偏差	检验方法
1	纵向中心线	1.0mm	拉钢丝线、吊线锤、用钢尺检查
2	横向中心线	1.0mm	拉钢丝线、吊线锤、用钢尺检查
3	标高	±1.00mm	用水准仪检查
4	水平度	0.10mm/m	用水平仪检查
5	角度偏差	±1°	用角度水平仪检查

7.4.2 外置轴承架安装允许偏差应符合表 7.4.2 的规定。

检查数量：全数检查。

检验方法：宜符合表 7.4.2 的规定。

表 7.4.2 外置轴承架安装允许偏差

项次	项目	允许偏差(mm)	检验方法
1	纵向中心线	1.0	拉钢丝线、吊线锤、用钢尺检查
2	横向中心线	0.5	拉钢丝线、吊线锤、用钢尺检查
3	标高	±0.20	用水准仪检查
4	轴承瓦口水平度	0.10/1000	用水平仪检查

7.4.3 压紧辊、深弯辊、开卷刀安装允许偏差应符合表 7.4.3 的规定。

检查数量：全数检查。

检验方法：宜符合表7.4.3的规定。

表7.4.3 压紧辊、深弯辊、开卷刀安装允许偏差

项次	项目	允许偏差(mm)	检验方法
1	纵向中心线	1.0	拉钢丝线、吊线锤、用钢尺检查
2	横向中心线	1.0	拉钢丝线、吊线锤、用钢尺检查
3	标高	±1.00	用水准仪检查
4	水平度	0.20/1000	用水平仪检查

7.5 试运转

7.5.1 卷筒试运转前必须安装安全套筒，卷筒的外置轴承架应处于工作位置。

7.5.2 开卷机和卷取机试运转应符合下列规定：

1 卷筒涨缩液压缸和机体移动液压缸分别往返运行均不应少于5次；

2 冷轧回转式双卷筒卷取机回转机构反复运行不应少于5次，卷筒的停止位置应准确；

3 卷筒连续运转不应少于2h。

检验方法：观察检查，检查试运转记录。

7.5.3 卷取机、开卷机辅助设备试运转应符合下列规定：

1 设备上液压缸、气动缸分别往返运行均不应少于5次；

2 开卷刀动作灵活，无卡阻现象；

3 压紧辊、深弯辊动作平稳，转动灵活；

4 助卷器移动灵活，与卷取机卷筒接触紧密、均匀；

5 外置轴承架升降动作灵活，与卷筒接触的轴承的间隙应符合设计文件的规定，且四周均匀，并能保证卷筒的水平度在允许偏差范围内。

检验方法：观察检查，检查试运转记录。

7.5.4 热卷箱试运转应符合下列规定：

1 热卷箱的托卷辊、夹送辊、弯辊、纠偏辊、成形辊、推出辊、开卷器、钢卷稳定器、侧导板等装置，应逐项调试；

2 设备上的液压缸往返运行不应少于5次；

3 各种辊子无负荷试运转正、反转连续运行均不应少于1h。变速辊子应进行加速、减速和最高速的试运转均不应少于3次。

检验方法：观察检查，检查试运转记录。

8 辊　　道

8.1 集中传动辊道

一 般 项 目

8.1.1 联轴器装配的两轴心径向位移、两轴线倾斜和联轴器的两端面间隙值应符合设计文件的要求，设计无要求时应符合现行国家标准《机械设备安装工程施工及验收通用规范》GB 50231 的有关规定。

检查数量：抽查 30%，且不应少于 1 套。

检验方法：检查安装质量记录，用百分表和塞尺检查。

8.1.2 解体安装的辊道现场组装时，机架接口、轴承座、横梁与机架的连接、传动齿轮的齿侧间隙、齿顶间隙、齿啮合接触面积和轴承装配及轴承轴向窜动量应符合设计文件的要求，设计无要求时应符合现行国家标准《机械设备安装工程施工及验收通用规范》GB 50231 的有关规定。

检查数量：抽查 30%，且不应少于 1 台。

检验方法：检查安装质量记录，用着色法、压铅法、千分表和塞尺检查。

8.1.3 集中传动辊道安装允许偏差应符合表 8.1.3 的规定。

检查数量：全数检查。

检验方法：宜符合表 8.1.3 的规定。

表 8.1.3 集中传动辊道安装允许偏差

项次	项　目		允许偏差(mm)		检验方法
			Ⅰ级	Ⅱ级	
1	中心线	根据中心线安装	1.0	1.5	拉钢丝线、吊线锤、用钢尺检查
		根据已安设备安装	0.5	1.0	拉钢丝线、吊线锤、用钢尺检查

续表 8.1.3

项次	项目		允许偏差(mm)		检验方法
			Ⅰ级	Ⅱ级	
2	标高	根据基准点安装	±0.50	±1.00	用水准仪检查
		根据已安设备安装	±0.25	±0.50	用水准仪检查
3	机架相对辊道纵向中心线的平行度		0.15/1000 全长不大于0.30	0.20/1000 全长不大于0.40	拉钢丝线、用内径千分尺检查
4	机架上面基准点的对角线差		0.5	0.5	用钢盘尺、衡力指示器检查
5	辊面水平度		0.05/1000	0.10/1000	用平尺和水平仪检查
6	基准辊相对机组纵向中心线的垂直度		0.10/1000	0.15/1000	拉钢丝线、用摇臂、内径千分尺检查
7	相邻两辊子(含组与组间)的平行度		0.30/1000	0.30/1000	用内径千分尺检查
8	辊子平行度累计误差		0.60/1000	0.60/1000	吊线锤、用内径千分尺检查
9	减速箱、分配箱水平度		0.15/1000	0.20/1000	用水平仪检查

8.2 单独传动辊道

一 般 项 目

8.2.1 联轴器装配的两轴心径向位移、两轴线倾斜和联轴器的两端面间隙值应符合设计文件的要求，设计无要求时应符合现行国家标准《机械设备安装工程施工及验收通用规范》GB 50231 的有关规定。

检查数量：全数检查。

检验方法：检查安装质量记录，用百分表和塞尺检查。

8.2.2 单独传动辊道安装允许偏差应符合表8.2.2的规定。

检查数量:全数检查。

检验方法:宜符合表8.2.2的规定。

表8.2.2 单独传动辊道安装允许偏差

项次	项目		允许偏差(mm)		检验方法
			Ⅰ级	Ⅱ级	
1	纵向中心线	单独布置的辊道	1.0	2.0	拉钢丝线、吊线锤、用钢尺检查
		与其他设备有机械衔接关系的辊道	0.5	1.0	拉钢丝线、吊线锤、用钢尺检查
2	横向中心线	单独布置的辊道	1.0	2.0	拉钢丝线、吊线锤、用钢尺检查
		与其他设备有机械衔接关系的辊道	0.5	1.0	拉钢丝线、吊线锤、用钢尺检查
3	辊道机架	机架顶面标高	±0.30	±1.00	用水准仪检查
		机架顶面水平度	0.10/1000	0.20/1000	用平尺和水平仪或水准仪检查
4	辊子	基准辊相对辊道纵向中心线的垂直度	0.10/1000	0.20/1000	拉钢丝线、用摇臂、内径千分尺检查
		相邻两辊子平行度	0.20/1000	0.40/1000	用内径千分尺检查
		直辊面辊子水平度(轴向)	0.10/1000	0.20/1000	用水平仪检查
		辊子间辊面高低差	±0.20	±0.60	用水准仪检查

8.3 升降、摆动及移动辊道

一般项目

8.3.1 联轴器装配的两轴心径向位移、两轴线倾斜和联轴器的两端面间隙值应符合设计文件的要求,设计无要求时应符合现行国家标准《机械设备安装工程施工及验收通用规范》GB 50231 的有关规定。

检查数量：全数检查。

检验方法：检查安装质量记录，用百分表和塞尺检查。

8.3.2 升降、摆动及移动辊道台面为集中传动辊道时，其安装允许偏差应符合本规范第 8.1.3 条的规定；台面为单独传动辊道时，其安装允许偏差应符合本规范第 8.2.2 条的规定。

8.3.3 升降、摆动及移动辊道的升降、移动和摆动装置安装允许偏差应符合表 8.3.3 的规定。

检查数量：全数检查。

检验方法：宜符合表 8.3.3 的规定。

表 8.3.3 辊道的升降、摆动及移动装置安装允许偏差

项次	项目		允许偏差 (mm)	检验方法
1	升降装置	主轴中心线	1.0	拉钢丝线、吊线锤、用钢尺检查
		各支座中心的标高	±1.00	用水准仪检查
		各支座中心线的距离	1.0	用钢盘尺检查
		驱动轴标高	±1.00	用水准仪检查
		驱动轴水平度	0.10/1000	用平尺和水平仪或水准仪检查
		主轴相对机组纵向中心线垂直度	0.15/1000	拉钢丝线、用摇臂、内径千分尺检查
		导向滑板垂直度	全长不大于 1.00	吊线锤、用钢尺检查
		升降油缸底座水平度	0.20/1000	用水平仪检查
		升降油缸底座标高	±0.50	用水准仪检查
2	移动装置	轨面标高	0～－1.00	用水准仪检查
		同一横断面上两轨面高低差	±0.50	用平尺、水平仪、塞尺检查

续表 8.3.3

项次	项目		允许偏差(mm)	检验方法
2	移动装置	轨道纵向中心线	1.0	拉钢丝线、用钢尺检查
		轨道横向中心线	1.0	拉钢丝线、用钢尺检查
		轨距	0.5	用钢尺检查
		驱动侧轨道的直线度	0.30/1000	拉钢丝线、用钢尺检查
3	摆动装置	台体固定支座中心线	1.0	拉钢丝线、吊线锤、用钢尺检查
		摆动台体固定支座标高	±1.00	用水准仪检查
		台面横向水平度	0.20/1000	用水平仪检查
		升降装置曲轴支承座中心线	1.0	拉钢丝线、吊线锤、用钢尺检查
		曲轴支承座标高	±1.00	用水准仪检查
		曲轴支承座水平度	0.10/1000	用水平仪检查

8.4 特殊辊道

一般项目

8.4.1 联轴器装配的两轴心径向位移、两轴线倾斜和联轴器的两端面间隙值应符合设计文件的要求，设计无要求时应符合现行国家标准《机械设备安装工程施工及验收通用规范》GB 50231 的有关规定。

检查数量：全数检查。

检验方法：检查安装质量记录，用百分表和塞尺检查。

8.4.2 聚氨酯、无纺布、衬胶、合金镀层等高精度或特殊材料辊面应有保护措施。

检查数量：全数检查。

检验方法：检查保护措施，观察检查。

8.4.3 特殊辊道安装允许偏差应符合表8.4.3的规定。

检查数量:全数检查。

检验方法:宜符合表8.4.3的规定。

表8.4.3 特殊辊道安装允许偏差

项次	项目	允许偏差(mm)		检验方法
		Ⅰ级	Ⅱ级	
1	纵向中心线	1.0	1.0	拉钢丝线、吊线锤、用钢尺检查
2	横向中心线	1.0	1.0	拉钢丝线、吊线锤、用钢尺检查
3	标高	±0.50	±1.00	用水准仪检查
4	辊子水平度	0.05/1000	0.10/1000	用水平仪检查
5	辊子相对机组纵向中心线的垂直度	0.05/1000	0.10/1000	用全站仪或拉钢丝线、用摇臂、内径千分尺检查

8.4.4 压紧辊、刮酸辊、挤干辊安装允许偏差应符合表8.4.4的规定。

检查数量:全数检查。

检验方法:宜符合表8.4.4的规定。

表8.4.4 压紧辊、刮酸辊、挤干辊安装的允许偏差

项次	项目	允许偏差(mm)	检验方法
1	纵向中心线	1.5	拉钢丝线、吊线锤、用钢尺检查
2	横向中心线	1.5	拉钢丝线、吊线锤、用钢尺检查
3	标高	±1.50	用水准仪检查
4	辊子水平度	0.10/1000	用水平仪检查
5	辊子相对机组纵向中心线的垂直度	0.10/1000	全站仪或拉钢丝线、用摇臂、内径千分尺检查

8.5 试 运 转

8.5.1 集中传动辊道、单独传动辊道、升降、摆动及移动辊道试运转应符合下列规定：

1 辊道无负荷试运转正、反转连续运行均不应少于1h；

2 变速辊子应进行加速、减速和最高速的运转均不应少于3次，连续运转均不应少于0.5h；

3 辊道的升降、摆动及移动装置应在全行程或回转范围内往返运行均不应少于5次。

检验方法：观察检查，检查试运转记录。

8.5.2 特殊辊道试运转应符合下列规定：

1 电动机驱动的辊子单体无负荷试运转连续运行不应少于2h；

2 变速辊子应进行加速、减速和最高速的运转均不应少于3次，连续运转均不应少于0.5h；

3 辊子的升降、摆动装置应在全行程或回转范围内往返运行均不应少于5次。

检验方法：观察检查，检查试运转记录。

9 冷　　床

9.1 步进式齿条冷床

一 般 项 目

9.1.1 联轴器装配的两轴心径向位移、两轴线倾斜和联轴器的两端面间隙值应符合设计文件的要求，设计无要求时应符合现行国家标准《机械设备安装工程施工及验收通用规范》GB 50231 的有关规定。

检查数量：全数检查。

检验方法：检查安装质量记录，用百分表和塞尺检查。

9.1.2 步进式齿条冷床推钢机安装要求应符合本规范第 11.2.3 条的规定。

9.1.3 冷床轧材分离装置安装允许偏差应符合表 9.1.3 的规定。

检查数量：全数检查。

检验方法：宜符合表 9.1.3 的规定。

表 9.1.3 冷床轧材分离装置安装允许偏差

项次	项　　目		允许偏差 (mm)	检验方法
1	传动轴轴承座	纵向中心线	1.0	拉钢丝线、吊线锤、用钢尺检查
		横向中心线	1.0	拉钢丝线、吊线锤、用钢尺检查
		标高	±0.50	用水准仪检查
		水平度	0.20/1000	用水平仪检查
		同轴度	0.30	拉钢丝线、用内径千分尺检查
2	减速机剖分面水平度		0.15/1000	用水平仪检查

9.1.4 冷床轧材台车式取送装置安装允许偏差应符合表9.1.4的规定。

检查数量：全数检查。

检验方法：宜符合表9.1.4的规定。

表9.1.4 冷床轧材台车式取送装置安装允许偏差

项次	项目		允许偏差(mm)	检验方法
1	台车轨道梁托辊梁	纵向中心线	1.0	拉钢丝线、吊线锤、用钢尺检查
		横向中心线	1.0	拉钢丝线、吊线锤、用钢尺检查
		标高	±1.00	用水准仪检查
		相对高低差	±0.50	用水准仪检查
2	升降液压缸	纵向中心线	1.0	拉钢丝线、吊线锤、用钢尺检查
		横向中心线	1.0	拉钢丝线、吊线锤、用钢尺检查
		标高	±1.00	用水准仪检查
		水平度	0.15/1000	用水平仪检查

9.1.5 步进式齿条冷床安装允许偏差应符合表9.1.5的规定。

检查数量：全数检查。

检验方法：宜符合表9.1.5的规定。

表9.1.5 步进式齿条冷床安装允许偏差

项次	项目		允许偏差(mm)	检验方法
1	升降横移减速机	纵向中心线	1.0	拉钢丝线、吊线锤、用钢尺检查
		横向中心线	1.0	拉钢丝线、吊线锤、用钢尺检查
		标高	±0.50	用水准仪检查
		水平度	0.15/1000	用平尺和水平仪检查
		减速机相对中心线	1.0	拉钢丝线、吊线锤、用钢尺检查

续表 9.1.5

<table>
<tr><th>项次</th><th colspan="2">项　　目</th><th colspan="2">允许偏差
(mm)</th><th>检验方法</th></tr>
<tr><td rowspan="4">2</td><td rowspan="4">固定框架结构</td><td>纵向中心线</td><td colspan="2">1.0</td><td>拉钢丝线、吊线锤、用钢尺检查</td></tr>
<tr><td>横向中心线</td><td colspan="2">1.0</td><td>拉钢丝线、吊线锤、用钢尺检查</td></tr>
<tr><td>标高</td><td colspan="2">±0.50</td><td>用水准仪检查</td></tr>
<tr><td>垂直度</td><td colspan="2">0.15/1000</td><td>吊线锤、用钢尺检查</td></tr>
<tr><td rowspan="6">3</td><td rowspan="6">摇动托架</td><td>托架纵向中心线</td><td colspan="2">1.0</td><td>拉钢丝线、吊线锤、用钢尺检查</td></tr>
<tr><td>托架横向中心线</td><td colspan="2">1.0</td><td>拉钢丝线、吊线锤、用钢尺检查</td></tr>
<tr><td>托架之间距离</td><td colspan="2">1.0</td><td>用钢盘尺检查</td></tr>
<tr><td>托架标高</td><td colspan="2">±0.50</td><td>用水准仪检查</td></tr>
<tr><td>托架水平度(轧材运输方向)</td><td colspan="2">0.30/1000</td><td>用水平仪检查</td></tr>
<tr><td>托架水平度(支承轴两侧方向)</td><td colspan="2">全长不大于0.30</td><td>用水平仪、塞尺检查</td></tr>
<tr><td rowspan="3">4</td><td rowspan="3">横梁组装</td><td>横梁中心距离</td><td colspan="2">1.0</td><td>用钢盘尺检查</td></tr>
<tr><td>高低差</td><td colspan="2">±1.00</td><td>用水准仪检查</td></tr>
<tr><td>水平度</td><td colspan="2">0.30/1000</td><td>用长水平仪检查</td></tr>
<tr><td rowspan="6">5</td><td rowspan="6">齿条</td><td></td><td>Ⅰ级</td><td>Ⅱ级</td><td></td></tr>
<tr><td>在检定位置上,齿条齿尖与各自轴心间的尺寸差</td><td>5.0</td><td>2.0</td><td>拉钢丝线、吊线锤、用钢尺或通过样棒检查</td></tr>
<tr><td>在检定位置上,每根齿条齿沟的偏移</td><td>5.0</td><td>2.0</td><td>拉钢丝线、吊线锤、用钢尺或通过样棒检查</td></tr>
<tr><td>每根齿条上,与检定位置最远齿沟的距离</td><td>10.0</td><td>4.0</td><td>拉钢丝线、吊线锤、用钢尺或通过样棒检查</td></tr>
<tr><td>固定齿条齿顶标高</td><td>±5.00</td><td>±2.00</td><td>用水准仪检查</td></tr>
<tr><td>活动齿条齿顶高低差</td><td>±8.00</td><td>±4.00</td><td>用水准仪检查</td></tr>
</table>

9.2 链式、绳式拖运机冷床

一般项目

9.2.1 联轴器装配的两轴心径向位移、两轴线倾斜和联轴器的两端面间隙值应符合设计文件的要求，设计无要求时应符合现行国家标准《机械设备安装工程施工及验收通用规范》GB 50231 的有关规定。

检查数量：全数检查。

检验方法：检查安装质量记录，用百分表和塞尺检查。

9.2.2 钢坯等重型轧材的链式、绳式拖运机冷床安装允许偏差应符合表 9.2.2 的规定。

检查数量：全数检查。

检验方法：宜符合表 9.2.2 的规定。

表 9.2.2 钢坯等重型轧材链式、绳式拖运机冷床安装允许偏差

<table>
<tr><th>项次</th><th colspan="2">项目</th><th>允许偏差（mm）</th><th>检验方法</th></tr>
<tr><td rowspan="6">1</td><td rowspan="6">驱动机构</td><td>传动轴或链（绳）轮轴轴向中心线与辊道中心线的距离</td><td>1.5</td><td>拉钢丝线、吊线锤、用钢尺检查</td></tr>
<tr><td>链（绳）轮相对冷床纵向中心线</td><td>1.0</td><td>拉钢丝线、吊线锤、用钢尺检查</td></tr>
<tr><td>传动轴轴承座剖分面标高</td><td>±0.30</td><td>用水准仪检查</td></tr>
<tr><td>传动轴相对冷床中心线的垂直度</td><td>0.15/1000</td><td>拉钢丝线、用摇臂、内径千分尺检查</td></tr>
<tr><td>轴承座剖分面水平度（单个及相邻两个间）</td><td>0.10/1000</td><td>用平尺和水平仪检查</td></tr>
<tr><td>传动减速机水平度</td><td>0.15/1000</td><td>用水平仪检查</td></tr>
</table>

续表 9.2.2

项次	项目		允许偏差(mm)	检验方法
2	返回链托辊(轮)	各托辊(轮)至冷床纵向中心线的距离	2.0	拉钢丝线、吊线锤、用钢尺检查
		托辊(轮)标高	±3.00	用水准仪检查
		托辊顶面水平度	1.00/1000	用水平仪检查
		托辊(轮)相对冷床纵向中心线的垂直度	0.10/1000 全长不大于 1.00	拉钢丝线、用摇臂法检查
3	机架(横梁、纵梁、滑道)	各纵梁至冷床纵向中心线的距离	2.0	拉钢丝线、吊线锤、用钢尺检查
		横梁相对冷床中心线的垂直度	0.50/1000	拉钢丝线、吊线锤、用钢尺检查
		横梁顶面标高	±1.00	用水准仪检查
		横梁顶面水平度(指纵梁、横梁交接处)	0.20/1000	用水平仪检查
		滑道顶面标高	±3.00	用水准仪检查
		各滑道间距	3.0	用钢盘尺检查
		滑道顶面水平度	0.50/1000	用水平仪检查

9.2.3 钢管等轻型轧材的链式、绳式拖运机冷床安装允许偏差应符合表 9.2.3 的规定。

检查数量：全数检查。

检验方法：宜符合表 9.2.3 的规定。

表 9.2.3 钢管等轻型轧材链式、绳式拖运机冷床安装允许偏差

项次	项目		允许偏差(mm)	检验方法
1	驱动机构	链轮传动轴纵向中心线	0.5	拉钢丝线、吊线锤、用钢尺检查
		链轮传动轴横向中心线	1.0	拉钢丝线、吊线锤、用钢尺检查
		传动轴标高	±0.50	用水准仪检查

续表 9.2.3

项次	项目		允许偏差(mm)	检验方法
1	驱动机构	传动轴相对冷床中心线的垂直度	0.25/1000	拉钢丝线、用摇臂、内径千分尺检查
		传动减速机水平度	0.15/1000	用水平仪检查
2	床体、柱子、横梁、滑道	支柱、横梁纵向中心线	2.0	拉钢丝线、吊线锤、用钢尺检查
		支柱、横梁横向中心线	2.0	拉钢丝线、吊线锤、用钢尺检查
		链子托梁纵向中心线	2.0	拉钢丝线、吊线锤、用钢尺检查
		支柱、横梁标高	±1.00	用水准仪检查
		链子托梁标高	±3.00	用水准仪检查
		滑道侧弯曲	3.0	拉钢丝线、用钢尺检查
		滑道接口处上下高低差	±0.50	用钢尺检查
3	链轮与链子托梁中心的重合度		1.0	拉钢丝线、吊线锤、用钢尺检查

9.3 托轮斜轨步进式冷床

一 般 项 目

9.3.1 联轴器装配的两轴心径向位移、两轴线倾斜和联轴器的两端面间隙值应符合设计文件的要求，设计无要求时应符合现行国家标准《机械设备安装工程施工及验收通用规范》GB 50231 的有关规定。

检查数量：全数检查。

检验方法：检查安装质量记录，用百分表和塞尺检查。

9.3.2 齿轮传动及减速机的齿侧间隙、齿顶间隙、齿啮合接触面积和传动轴轴向窜动量应符合设计文件的要求，设计无要求时应符合现行国家标准《机械设备安装工程施工及验收通用规范》GB 50231的有关规定，减速机各部件应密封严密。

检查数量：抽查 30%，且不应少于 1 台。

检验方法：检查安装质量记录，用着色法、压铅法、千分表和塞尺检查。

9.3.3 活动床面提升机构、移动装置的连杆、曲柄轴、摇杆轴的各连接部及支承轴承座的轴承或轴套装配应符合设计文件的要求，设计无要求时应符合现行国家标准《机械设备安装工程施工及验收通用规范》GB 50231 的有关规定。

检查数量：抽查 30%，且不应少于 1 台。

检验方法：检查安装质量记录。

9.3.4 活动床面移动装置齿条推杆顶面与压辊的间隙应符合设计文件的规定。

检查数量：抽查 30%，且不应少于 1 台。

检验方法：检查安装质量记录，用塞尺检查。

9.3.5 冷床提升、移动框架和固定、活动台面装配应符合设计文件的规定。

检查数量：抽查 30%，且不应少于 1 组。

检验方法：检查安装质量记录。

9.3.6 托轮斜轨步进式冷床安装允许偏差应符合表 9.3.6 的规定。

检查数量：全数检查。

检验方法：宜符合表 9.3.6 的规定。

表 9.3.6 托轮斜轨步进式冷床安装允许偏差

项次	项目		允许偏差(mm)	检验方法
1	活动床面托轮	托轮轮面标高	±0.50	用水准仪检查
		托轮纵向中心线	0.5	拉钢丝线、吊线锤、用钢尺检查
		托轮横向中心线	0.5	拉钢丝线、吊线锤、用钢尺检查
		定位托轮径向相对冷床横向中心线	0.2	拉钢丝线、用内径千分尺检查

续表 9.3.6

项次	项目		允许偏差（mm）	检验方法
1	活动床面托轮	定位托轮轴向相对冷床纵向中心线的平行度	全长不大于1.00	拉钢丝线、吊线锤、用钢尺检查
		托轮轴向水平度	0.10/1000	用平尺和水平仪检查
		托轮轴承座沿冷床输送中心线方向水平度	0.20/1000	用平尺和水平仪检查
2	活动床面	升降框架纵向中心线	1.0	拉钢丝线、吊线锤、用钢尺检查
		升降框架横向中心线	1.0	拉钢丝线、吊线锤、用钢尺检查
		升降框架标高	±0.50	用水准仪检查
		水平度	0.20/1000	用平尺和水平仪检查
		水平移动框架纵向中心线	0.5	拉钢丝线、吊线锤、用钢尺检查
		水平移动框架横向中心线	0.5	拉钢丝线、吊线锤、用钢尺检查
		水平移动框架标高	±1.00	用水准仪检查
3	活动床面提升机构	提升主轴纵向中心线	1.0	拉钢丝线、吊线锤、用钢尺检查
		提升主轴横向中心线	1.0	拉钢丝线、吊线锤、用钢尺检查
		提升主轴标高（轴承座剖分面）	±1.00	用水准仪检查
		提升主轴相对冷床横向中心线的平行度	全长不大于0.50	拉钢丝线、吊线锤、用钢尺检查
		轴承座剖分面水平度（单个及相邻两个间）	0.15/1000	用平尺和水平仪检查
		提升主轴水平度	全长不大于0.50	用水准仪检查
		提升主轴轴承镗孔同轴度	0.20	拉钢丝线、用内径千分尺检查
		传动减速机水平度	0.15/1000	用水平仪检查

续表 9.3.6

项次	项目		允许偏差(mm)	检验方法
4	活动床面移动装置	移动主轴纵向中心线	1.0	拉钢丝线、吊线锤、用钢尺检查
		移动主轴横向中心线	1.0	拉钢丝线、吊线锤、用钢尺检查
		移动主轴标高(轴承座剖分面)	±0.50	用水准仪检查
		移动主轴相对冷床横向中心线的平行度	全长不大于0.50	拉钢丝线、吊线锤、用钢尺检查
		轴承座剖分面水平度(单个及相邻两个间)	0.15/1000	用平尺和水平仪检查
		移动主轴水平度	全长不大于0.50	用水准仪检查
		移动主轴轴承镗孔同轴度	0.20	拉钢丝线、用内径千分尺检查
		同步轴纵向中心线	1.0	拉钢丝线、吊线锤、用钢尺检查
		同步轴横向中心线	1.0	拉钢丝线、吊线锤、用钢尺检查
		同步轴标高(轴承座剖分面)	±0.50	用水准仪检查
		同步轴同轴度	0.20	拉钢丝线、用内径千分尺检查
		同步轴水平度	全长不大于0.50	用水准仪检查
		移动床面传动减速机水平度	0.15/1000	用水平仪检查
		齿条推杆箱剖分面标高	±0.50	用水准仪检查

续表 9.3.6

项次	项目		允许偏差(mm)	检验方法
4	活动床面移动装置	齿条推杆箱纵向中心线	1.0	拉钢丝线、吊线锤、用钢尺检查
		齿条推杆箱横向中心线	1.0	拉钢丝线、吊线锤、用钢尺检查
		齿条推杆箱剖分面水平度	0.15/1000	用水平仪检查
		齿条推杆相对冷床纵向中心线的平行度	全长不大于1.00	拉钢丝线、吊线锤、用钢尺检查
		齿条推杆前托辊标高	±0.50	用水准仪或平尺、内径千分尺检查
		齿条推杆水平度	0.15/1000	用水平仪检查
5	固定床面	下部支座纵向中心线	1.0	拉钢丝线、吊线锤、用钢尺检查
		下部支座横向中心线	1.0	拉钢丝线、吊线锤、用钢尺检查
		下部支座上平面标高	±1.00 全床面不大于1.00	用水准仪检查
		下部支座上平面水平度	0.20/1000	用水平仪检查

9.4 滚盘式冷床

9.4.1 联轴器装配的两轴心径向位移、两轴线倾斜和联轴器的两端面间隙值应符合设计文件的要求，设计无要求时应符合现行国家标准《机械设备安装工程施工及验收通用规范》GB 50231 的有关规定。

检查数量：全数检查。

检验方法：检查安装质量记录，用百分表和塞尺检查。

9.4.2 齿轮传动及减速机的齿侧间隙、齿顶间隙、齿啮合接触面积和传动轴轴向窜动量应符合设计文件的要求，设计无要求时应符合现行国家标准《机械设备安装工程施工及验收通用规范》GB 50231的有关规定，减速机各部件应密封严密。

检查数量：抽查30%，且不应少于1台。

检验方法：检查安装质量记录，用着色法、压铅法、千分表和塞尺检查。

9.4.3 滚盘式冷床安装允许偏差应符合表9.4.3的规定。

检查数量：全数检查。

检验方法：宜符合表9.4.3的规定。

表9.4.3 滚盘式冷床安装允许偏差

项次	项目		允许偏差(mm)	检验方法
1	床面底部支架	纵向中心线	1.0	拉钢丝线、吊线锤、用钢尺检查
		横向中心线	1.0	拉钢丝线、吊线锤、用钢尺检查
		标高	±1.00 全床面不大于1.00	用水准仪检查
2	传动轴	轴承座标高	±0.50	用水准仪检查
		轴承座纵向中心线	0.5	拉钢丝线、吊线锤、用钢尺检查
		轴承座横向中心线	0.5	拉钢丝线、吊线锤、用钢尺检查
		轴承座水平度	0.10/1000	用平尺和水平仪检查
		传动轴同轴度	0.20	拉钢丝线、用内径千分尺检查
3	床面滚盘	轮面标高	±0.50	用水准仪检查
		相邻辊面高低差	±0.50	用水准仪检查

9.5 冷却台架

一般项目

9.5.1 冷却台架安装允许偏差应符合表 9.5.1 的规定。

检查数量:全数检查。

检验方法:宜符合表 9.5.1 的规定。

表 9.5.1 冷却台架安装允许偏差

项次	项目	允许偏差	检验方法
1	纵向中心线	3.0mm	拉钢丝线、吊线锤、用钢尺检查
2	横向中心线	3.0mm	拉钢丝线、吊线锤、用钢尺检查
3	标高	±2.00mm	用水准仪检查
4	滑道间距	3.0mm	用钢尺检查
5	倾斜角度	±0.5°	用角度仪检查
6	水平度	0.50mm/m	用水平仪检查

9.5.2 拨料装置安装允许偏差应符合表 9.5.2 的规定。

检查数量:全数检查。

检验方法:宜符合表 9.5.2 的规定。

表 9.5.2 拨料装置安装允许偏差

项次	项目	允许偏差(mm)	检验方法
1	纵向中心线	1.0	拉钢丝线、吊线锤、用钢尺检查
2	横向中心线	1.0	拉钢丝线、吊线锤、用钢尺检查
3	标高	±1.50	用水准仪检查
4	水平度	0.30/1000	用水平仪检查

9.6 试运转

9.6.1 步进式齿条冷床试运转应符合下列规定:

1 冷床机组设备单体无负荷试运转连续运行不应少于 4h，冷床本体有反转要求时，反转运行不应少于 1h；

2 变速设备应低速、高速运转均不应少于 3 次；

3 冷床多台传动机构的转向、转速应相同。强制驱动机构联接后，应同步运转；

4 四连杆机构的设备，各铰接点应灵活，无卡阻现象，行程准确、制动可靠。

检验方法：观察检查，检查试运转记录。

9.6.2 链式、绳式拖运机冷床试运转应符合下列规定：

1 冷床机组设备单体无负荷试运转连续运行不应少于 4h；

2 变速设备低速、高速运转均不应少于 3 次；

3 冷床多台传动机构的转向、转速应相同；

4 链传动不得有卡阻和跑偏现象。

检验方法：观察检查，检查试运转记录。

9.6.3 托轮斜轨步进式冷床试运转应符合下列规定：

1 冷床机组设备单体无负荷试运转连续运行不应少于 4h，冷床本体有反转要求时，反转运行不应少于 1h；

2 变速设备低速、高速运转均不应少于 3 次；

3 冷床多台传动机构的转向、转速应相同，同步装置应同步运转。

检验方法：观察检查，检查试运转记录。

9.6.4 滚盘式冷床试运转应符合下列规定：

1 冷床机组设备单体无负荷试运转连续运行不应少于 4h，冷床本体有反转要求时，反转运行不应少于 1h；

2 变速设备低速、高速运转均不应少于 3 次；

3 冷床多台传动机构的转向、转速应相同。

检验方法：观察检查，检查试运转记录。

10 运输设备

10.1 步进梁式输送机

一般项目

10.1.1 步进梁式输送机安装允许偏差应符合表10.1.1的规定。

检查数量:全数检查。

检验方法:宜符合表10.1.1的规定。

表10.1.1 步进梁式输送机安装允许偏差

项次	项目		允许偏差(mm)	检验方法
1	固定梁柱	纵向中心线	2.0	拉钢丝线、吊线锤、用钢尺检查
		横向中心线	2.0	拉钢丝线、吊线锤、用钢尺检查
		标高	±1.00	用水准仪检查
		支柱垂直度	1.0/1000	吊线锤、用钢尺检查
2	导轨梁	标高	±1.00	用水准仪检查
		轨距	0~1.0	用钢尺检查
		纵向水平度	0.50/1000	用水平仪检查
		同一横断面上两轨面水平度	0.50/1000	用平尺和水平仪检查

10.1.2 平移油缸底座安装允许偏差应符合表10.1.2的规定。

检查数量:全数检查。

检验方法:宜符合表10.1.2的规定。

表 10.1.2 平移油缸底座安装允许偏差

项次	项目	允许偏差(mm)	检验方法
1	纵向中心线	1.0	拉钢丝线、吊线锤、用钢尺检查
2	横向中心线	1.0	拉钢丝线、吊线锤、用钢尺检查
3	标高	±1.00	用水准仪检查
4	底座水平度	0.20/1000	用水平仪检查

10.2 链式运输机

一般项目

10.2.1 导向装置位置应正确，调整垫板应整齐，链条张紧应适度，各挡轮、托轮与滑轨间应无卡阻现象。

检查数量：运输链首轮、尾轮和传动链处各一组。

检验方法：现场观察，尺量检查。

10.2.2 联轴器装配的两轴心径向位移、两轴线倾斜和联轴器的两端面间隙值应符合设计文件的要求，设计无要求时应符合现行国家标准《机械设备安装工程施工及验收通用规范》GB 50231 的有关规定。

检查数量：全数检查。

检验方法：检查安装质量记录，用百分表和塞尺检查。

10.2.3 链式运输机安装允许偏差应符合表 10.2.3 的规定。

检查数量：全数检查。

检验方法：宜符合表 10.2.3 的规定。

表 10.2.3 链式运输机安装允许偏差

项次	项目		允许偏差(mm)	检验方法
1	结构框架	运输机机构框架纵向中心线	1.0	拉钢丝线、吊线锤、用钢尺检查
		运输机机构框架横向中心线	1.0	拉钢丝线、吊线锤、用钢尺检查

续表 10.2.3

项次	项目		允许偏差(mm)	检验方法
1	结构框架	支柱中心线	1.0	拉钢丝线、吊线锤、用钢尺检查
		支柱标高	±1.00	用水准仪检查
2	传动链装置	头尾链轮横向、轴向相对机组纵向中心线	0.5	拉钢丝线、吊线锤、用钢尺检查
		头尾链轮横向、轴向相对机组横向中心线	0.5	拉钢丝线、吊线锤、用钢尺检查
		头尾链轮相对机组纵向中心线的垂直度	0.50/1000	拉钢丝线、用摇臂、内径千分尺检查
		链轮轴标高	±0.50	用水准仪检查
		链轮轴水平度	0.20/1000	用水平仪检查
		滑轨轨面标高	±1.00	用水准仪检查
		滑轨轨距	1.0	用钢尺检查
		同一横断面上四条滑轨轨面高低差	±0.50	用平尺、水平仪、塞尺检查
		滑轨相对运输机纵向中心线	1.0	拉钢丝线、用钢尺检查
3	移送链机架	上部滑轨轨面标高	±1.00	用水准仪检查
		同一横断面上滑轨轨面高低差	±0.50	用水准仪检查
		滑轨轨距	1.0	用钢尺检查
		下部滑轨轨面标高	±2.00	用水准仪检查
		滑轨相对运输机纵向中心线	1.0	拉钢丝线、用钢尺检查
		移送链的导向装置相对运输机纵向中心线	0.5	拉钢丝线、用钢尺检查
		移送链的张紧装置相对运输机纵向中心线	0.5	拉钢丝线、用钢尺检查

10.3 双链刮板式运输机

一般项目

10.3.1 联轴器装配的两轴心径向位移、两轴线倾斜和联轴器的两端面间隙值应符合设计文件的要求，设计无要求时应符合现行国家标准《机械设备安装工程施工及验收通用规范》GB 50231 的有关规定。

检查数量：全数检查。

检验方法：检查安装质量记录，用百分表和塞尺检查。

10.3.2 安装刮板链条后，紧固螺栓头部应进行防松点焊，销子头部应进行加热镦铆。

检查数量：抽查 10%，且不应少于 5 处。

检验方法：观察检查。

10.3.3 双链刮板式运输机安装允许偏差应符合表 10.3.3 的规定。

检查数量：全数检查。

检验方法：宜符合表 10.3.3 的规定。

表 10.3.3 双链刮板式运输机安装允许偏差

项次	项目	允许偏差(mm)	检验方法
1	运输机纵向中心线	1.5	拉钢丝线、吊线锤、用钢尺检查
2	运输机横向中心线	1.5	拉钢丝线、吊线锤、用钢尺检查
3	两链轮相对机组纵向中心线	1.0	拉钢丝线、吊线锤、用钢尺检查
4	链轮对机列中心线	1.0	拉钢丝线、吊线锤、用钢尺检查
5	链轮相对机组向中心线的垂直度	1.00/1000	拉钢丝线、用摇臂、内径千分尺检查
6	链轮轴标高	±1.00	用水准仪检查

续表 10.3.3

项次	项　　目	允许偏差(mm)	检验方法
7	链轮轴水平度	0.30/1000	用水平仪检查
8	输送槽相对机列中心线	2.5	拉钢丝线、吊线锤、用钢尺检查
9	输送槽横向水平度	1.00/1000	用水平仪检查
10	输送槽顶部滑轨接头高低差	±1.00	用钢尺检查
11	输送槽底部衬板接头高低差	±2.00	用钢尺检查
12	返回轨道横向水平度	1.50/1000	用水平仪检查
13	返回轨道相对机列中心线	1.0	拉钢丝线、吊线锤、用钢尺检查

10.4　螺旋运输机

一 般 项 目

10.4.1　联轴器装配的两轴心径向位移、两轴线倾斜和联轴器的两端面间隙值应符合设计文件的要求，设计无要求时应符合现行国家标准《机械设备安装工程施工及验收通用规范》GB 50231 的有关规定。

检查数量：全数检查。

检验方法：检查安装质量记录，用百分表和塞尺检查。

10.4.2　传动齿轮的齿侧间隙、齿顶间隙、齿啮合接触面积和传动轴轴向窜动量应符合设计文件的要求，设计无要求时应符合现行国家标准《机械设备安装工程施工及验收通用规范》GB 50231 的有关规定，减速机各部件应密封严密。

检查数量：抽查 30%，且不应少于 1 台。

检验方法：检查安装质量记录，用着色法、压铅法、千分表和塞尺检查。

10.4.3 螺旋运输机安装允许偏差应符合表10.4.3的规定。

检查数量:全数检查。

检验方法:宜符合表10.4.3的规定。

表10.4.3 螺旋运输机安装允许偏差

项次	项目	允许偏差	检验方法
1	螺旋辊纵向中心线	1.5mm	拉钢丝线、吊线锤、用钢尺检查
2	螺旋辊横向中心线	1.5mm	拉钢丝线、吊线锤、用钢尺检查
3	螺旋辊相对输出辊道中心线的垂直度	0.40mm/m	拉钢丝线、用摇臂、内径千分尺检查
4	螺旋轴入料端标高	±1.00mm	用水准仪检查
5	螺旋轴及滑轨倾斜角度	±10′	用角度仪检查
6	螺旋机轴间中心距	1.5mm	用钢尺检查

10.5 运锭台车

一般项目

10.5.1 驱动台车就位于轨道上后,与车体组装前,车轮轴承盒的侧面榫口应与轨面垂直,轴承盒顶面应水平,轮距应符合设计文件的规定。

检查数量:全数检查。

检验方法:用水平仪、钢尺检查。

10.5.2 联轴器装配的两轴心径向位移、两轴线倾斜和联轴器的两端面间隙值应符合设计文件的要求,设计无要求时应符合现行国家标准《机械设备安装工程施工及验收通用规范》GB 50231的有关规定。

检查数量:全数检查。

检验方法:检查安装质量记录,用百分表和塞尺检查。

10.5.3 轨道接头对接焊缝应符合设计文件的规定。

检查数量:抽查 20%,且不应少于 4 处。

检验方法:检查焊接质量记录,观察检查。

10.5.4 运锭台车安装允许偏差应符合表 10.5.4 的规定。

检查数量:全数检查,轨道每 3m~5m 检查一处。

检验方法:宜符合表 10.5.4 的规定。

表 10.5.4 运锭台车安装允许偏差

项次	项目		允许偏差(mm)	检验方法
1	轨道	轨道中心线	3.0	拉钢丝线、吊线锤、用钢尺检查
		轨距	5.0	用钢尺检查
		轨道顶面标高	±3.00	用水准仪检查
		同一横断面上两轨道高低差	±2.00	用水准仪检查
		轨道侧面直线度	0.50/1000 全长不大于 5.0	拉钢丝线、用钢尺检查
		轨道顶面纵向水平度	0.50/1000 全长不大于 5.00	用水平仪检查
2	走行装置	轮距	1.0	用钢尺检查
		轴承箱榫口距离(轨距方向)	0.5	用钢尺检查
		对角线	2.0	用钢尺检查

10.6 钢卷运输小车

一般项目

10.6.1 设备整体到货时,检查升降滑道与挡轮的间隙,应符合设计文件的规定。

检查数量:全数检查。

检验方法:用塞尺检查。

10.6.2 联轴器装配的两轴心径向位移、两轴线倾斜和联轴器的两端面间隙值应符合设计文件的要求，设计无要求时应符合现行国家标准《机械设备安装工程施工及验收通用规范》GB 50231 的有关规定。

检查数量：全数检查。

检验方法：检查安装质量记录，用百分表和塞尺检查。

10.6.3 钢卷运输小车轨道安装允许偏差应符合表 10.6.3 的规定。

检查数量：全数检查。

检验方法：宜符合表 10.6.3 的规定。

表 10.6.3 钢卷运输小车轨道安装允许偏差

项次	项目	允许偏差(mm)	检验方法
1	轨道纵向中心线相对开卷机或卷取机中心线	0.5	拉钢丝线、吊线锤、用钢尺检查
2	轨道横向中心线相对机组纵向中心线	2.0	拉钢丝线、吊线锤、用钢尺检查
3	轨距	0.5	用钢尺检查
4	轨道顶面标高	±0.50	用水准仪检查
5	轨道顶面纵向水平度	0.20/1000	用水平仪检查
6	轨道顶面横向水平度（两轨道间）	0.20/1000	用平尺和水平仪检查
7	车挡同位性	1.0	拉钢丝线、用钢尺检查

10.7 试 运 转

10.7.1 步进梁式运输机试运转应符合下列规定：

1 升降装置、平移装置、位置测量装置在回转范围或全行程内往返运行均不应少于 5 次；

2 多组移送装置串联在一起的机组连续试运转不应少于3次。

检验方法:观察检查,检查试运转记录。

10.7.2 钢卷链式运输机试运转应符合下列规定:

1 多组传动台传动机构的转向、转速应相同;

2 单体无负荷试运转时进行低速、加减速和高速试运转均不应少于3次,连续运行不应少于4h;

3 链条与链轮运转应平稳,不得有啃卡现象。

检验方法:观察检查,检查试运转记录。

10.7.3 双链刮板式运输机试运转应符合下列规定:

1 单体无负荷试运转时连续运行不应少于4h;

2 减速机、链条、链轮、托辊等各部位运转应平稳,链板、刮板应无跳动和卡阻现象。

检验方法:观察检查,检查试运转记录。

10.7.4 螺旋运输机试运转应符合下列规定:

1 单体无负荷试运转时连续运行不应少于4h;

2 螺旋轴的转向奇数时应为正转,偶数时应为反转。螺旋轴内冷却水应无跑、冒、滴、漏的现象;

3 减速机、伞齿轮箱及螺旋轴等各部位应运转平稳;

4 冷管假投料试验时螺旋推进应同步。

检验方法:观察检查,检查试运转记录。

10.7.5 运锭台车试运转应符合下列规定:

1 运锭台车无负荷试运转,应在全行程上往返运行不应少于5次。由低速到高速的试验均不应少于3次。运行应平稳,无卡轨现象;

2 运锭台车上的送锭辊道,正反向试运转均不应少于1h。氧化铁皮斗开闭操作不应少于5次,应平稳灵活。

检验方法:观察检查,检查试运转记录。

10.7.6 钢卷运输小车试运转应符合下列规定:

1 升降装置、走行机构或平移装置、旋转机构在全行程或回转范围内试验均不应少于5次；

2 小车走行应无卡轨现象。

检验方法：观察检查，检查试运转记录。

11 移送和翻转设备

11.1 推　　床

一般项目

11.1.1 齿轮齿条传动及减速机的齿侧间隙、齿顶间隙、齿啮合接触面积和传动轴轴向窜动量应符合设计文件的要求，设计无要求时应符合现行国家标准《机械设备安装工程施工及验收通用规范》GB 50231 的有关规定，减速机各部件应密封严密。

检查数量：抽查 30%，且不应少于 1 台。

检验方法：检查安装质量记录，用着色法、压铅法、千分表和塞尺检查。

11.1.2 联轴器装配的两轴心径向位移、两轴线倾斜和联轴器的两端面间隙值应符合设计文件的要求，设计无要求时应符合现行国家标准《机械设备安装工程施工及验收通用规范》GB 50231 的有关规定。

检查数量：全数检查。

检验方法：检查安装质量记录，用百分表和塞尺检查。

11.1.3 推杆安装时，所有小齿轮轴上的切向键应位于上侧，操作侧和驱动侧推杆的端部应对齐。推杆顶面与上机壳的滑板间隙应符合设计文件的规定。

检查数量：抽查 30%，且不应少于 1 台。

检验方法：检查安装质量记录，拉线尺量。

11.1.4 推床安装允许偏差应符合表 11.1.4 的规定。

检查数量：全数检查。

检验方法：宜符合表 11.1.4 的规定。

表 11.1.4 推床安装允许偏差

项次	项　目	允许偏差(mm)	检验方法
1	导向托辊纵向中心线	1.0	拉钢丝线、吊线锤、用钢尺检查
2	导向托辊横向中心线	1.0	拉钢丝线、吊线锤、用钢尺检查
3	导向托辊标高	±1.00	用水准仪检查
4	导向托辊水平度	0.10/1000	用水平仪检查
5	传动齿轮座箱体(推拉杆传动轴)纵向中心线	2.0	拉钢丝线、吊线锤、用钢尺检查
6	传动齿轮座箱体(推拉杆传动轴)横向中心线	2.0	拉钢丝线、吊线锤、用钢尺检查
7	传动齿轮座箱体标高	0～+2.00	用水准仪检查
8	推拉杆传动轴标高	±1.00	用水准仪检查
9	传动齿轮座箱体(轴承座)水平度	0.10/1000	用水平仪检查
10	推床传动轴同轴度	0.15	拉钢丝线、用内径千分尺检查
11	支承辊中心线与传动齿轮座中心线的距离	3.0	拉钢丝线、吊线锤、用钢尺检查
12	推板相对轧制中心线的平行度	0.30/1000 全长不大于 5.0	拉钢丝线、吊线锤、用钢尺检查
13	推板相对轧制中心线	0.50	拉钢丝线、吊线锤、用钢尺检查
14	液压缸中心线	1.0	拉钢丝线、吊线锤、用钢尺检查
15	液压缸底座标高	±1.00	用水准仪检查
16	液压缸座水平度	0.20/1000	用水平仪检查

11.2 推钢机和出钢机

一 般 项 目

11.2.1 本节推钢机、出钢机的一般项目应符合本规范第 11.1.1

条、第 11.1.2 条的规定。

11.2.2 四连杆式推钢机和出钢机升降机构的传动轴、曲柄轴、连杆的各连接部及支承轴承座的轴承或轴套装配应符合设计文件的要求，设计无要求时应符合现行国家标准《机械设备安装工程施工及验收通用规范》GB 50231 的有关规定。

检查数量：抽查 30%，且不应少于 1 套。

检验方法：检查安装质量记录。

11.2.3 板坯加热炉齿条推进式推钢机安装允许偏差应符合表 11.2.3 的规定。

检查数量：全数检查。

检验方法：宜符合表 11.2.3 的规定。

表 11.2.3 板坯加热炉齿条推进式推钢机安装允许偏差

项次	项目	允许偏差(mm)	检验方法
1	推钢机传动轴中心线	1.0	拉钢丝线、吊线锤、用钢尺检查
2	推杆中心线相对加热炉中心线	1.0	拉钢丝线、吊线锤、用钢尺检查
3	推钢杆齿轮箱剖分面顶面标高	0～+2.00	用水准仪检查
4	推钢杆齿轮箱剖分面水平度	0.15/1000	用水平仪检查
5	推钢杆齿轮箱瓦口同轴度	0.15	拉钢丝线、用内径千分尺检查
6	推杆端部推头相对上料辊道中心线的平行度	0.5/1000 全长不大于 5.0	拉钢丝线、吊线锤、用钢尺检查
7	推钢杆顶面与压辊的间隙	0.30～1.30	用塞尺检查

11.2.4 四连杆式推钢机安装允许偏差应符合表 11.2.4 的规定。

检查数量：全数检查。

检验方法：宜符合表 11.2.4 的规定。

表 11.2.4 四连杆式推钢机安装允许偏差

项次	项目		允许偏差(mm)	检验方法
1	传动轴轴承座	纵向中心线	1.0	拉钢丝线、吊线锤、用钢尺检查
		横向中心线	1.0	拉钢丝线、吊线锤、用钢尺检查
		标高	±0.50	用水准仪检查
		轴承座上平面水平度:单独	0.20/1000	用水平仪检查
		轴承座上平面水平度:座间	0.20/1000	用平尺和水平仪检查
		轴承座瓦口同轴度	0.15/1000	拉钢丝线、用内径千分尺检查
2	推杆托辊	纵向中心线	1.0	拉钢丝线、吊线锤、用钢尺检查
		横向中心线	1.0	拉钢丝线、吊线锤、用钢尺检查
		标高	±0.50	用水准仪检查
		托辊水平度:单独	0.20/1000	用水平仪检查
		托辊水平度:座间	0.20/1000	用平尺和水平仪检查

11.2.5 长行程装、出钢机安装允许偏差应符合表 11.2.5 的规定。

检查数量:全数检查。

检验方法:宜符合表 11.2.5 的规定。

表 11.2.5 长行程装、出钢机安装允许偏差

项次	项目		允许偏差(mm)	检验方法
1	平移装置	装、出钢机传动轴相对上料(下料)辊道中心线	1.0	拉钢丝线、吊线锤、用钢尺检查
		装、出钢机相对加热炉中心线	1.0	拉钢丝线、吊线锤、用钢尺检查

续表 11.2.5

项次	项目		允许偏差(mm)	检验方法
1	平移装置	装、出钢杆齿轮箱剖分面标高	±1.00	用水准仪检查
		装、出钢杆齿轮箱剖分面水平度	0.15/1000	用水平仪检查
		装、出钢杆齿轮箱瓦口同轴度	0.15	拉钢丝线、用内径千分尺检查
		装、出钢杆顶面与压辊的间隙	0.30～1.30	用塞尺检查
2	升降装置	曲柄轴纵向中心线	1.0	拉钢丝线、吊线锤、用钢尺检查
		曲柄轴横向中心线	1.0	拉钢丝线、吊线锤、用钢尺检查
		曲柄轴标高	±1.50	用水准仪检查
		曲柄轴轴承座水平度	0.15/1000	用水平仪检查
		曲柄轴水平度	0.10/1000	用水平仪检查
		曲柄轴轴承座同轴度	0.15	拉钢丝线、用内径千分尺检查
		驱动装置与曲柄轴的距离	1.0	拉钢丝线、吊线锤、用钢尺检查
		驱动装置相对曲柄中心线	0.5	拉钢丝线、吊线锤、用钢尺检查
		驱动装置标高	±1.00	用水准仪检查

11.3 长型材横向取/送装置

一 般 项 目

11.3.1 长型材横向取/送装置的一般项目应符合本规范第11.1.1条、第11.1.2条的规定。

11.3.2 长型材横向取/送装置的传动轴、摇杆的各连接部及支承轴承座的轴承或轴套装配应符合设计文件的要求，设计无要求时应符合现行国家标准《机械设备安装工程施工及验收通用规范》GB 50231 的有关规定。

检查数量：抽查30%，且不应少于1套。

检验方法：检查安装质量记录。

11.3.3 长型材横向取/送装置安装允许偏差应符合表11.3.3的规定。

检查数量：全数检查。

检验方法：宜符合表11.3.3的规定。

表 11.3.3 长型材横向取/送装置安装允许偏差

项次	项目	允许偏差(mm)	检验方法
1	摇杆传动轴中心线	1.5	拉钢丝线、吊线锤、用钢尺检查
2	油缸铰点中心线	1.5	拉钢丝线、吊线锤、用钢尺检查
3	摇杆传动轴轴承座剖分面标高	±0.50	用水准仪检查
4	传动轴轴承座水平度：单独	0.20/1000	用水平仪检查
5	传动轴轴承座水平度：座间	0.20/1000	用平尺和水平仪检查
6	传动轴承瓦口同轴度	0.15	拉钢丝线、用内径千分尺检查

11.4 翻转机

一般项目

11.4.1 本节翻转机的一般项目应符合本规范第11.1.1条、第11.1.2条的规定。

11.4.2 传动轴、曲柄轴、连杆等各连接部及支承轴承座的轴承或轴套装配应符合设计文件的要求，设计无要求时应符合现行国家标准《机械设备安装工程施工及验收通用规范》GB 50231 的有关规定。

检查数量：抽查30%，且不应少于1套。

检验方法:检查安装质量记录。

11.4.3 方坯翻转机的移动门架与底座滑动应无卡阻,夹紧楔铁与滑道接触应严密。

检查数量:抽查10%,且不应少于1处。

检验方法:观察检查,用塞尺检查。

11.4.4 钢管翻转机杠杆上的菱形托架,其菱形槽中心应调节到同一直线上,链条松紧适度。

检查数量:全数检查。

检验方法:观察检查,拉钢丝线检查。

11.4.5 方坯翻转机安装允许偏差应符合表11.4.5的规定。

检查数量:全数检查。

检验方法:宜符合表11.4.5的规定。

表11.4.5 方坯翻转机安装允许偏差

项次	项目		允许偏差(mm)	检验方法
1	翻转机横移底座	纵向中心线	1.0	拉钢丝线、吊线锤、用钢尺检查
		横向中心线	1.0	拉钢丝线、吊线锤、用钢尺检查
		底座内侧滑道基准面相对轧机中心线的平行度	0.20/1000	拉钢丝线、吊线锤、用钢尺检查
		底座顶面标高	±1.00	用水准仪检查
		底座水平度	0.10/1000	用水平仪检查
2	横移油缸底座	油缸座中心线	1.0	拉钢丝线、吊线锤、用钢尺检查
		油缸座相对基准中心线的平行度	0.30/1000	拉钢丝线、吊线锤、用钢尺检查
		油缸座标高	±1.00	用水准仪检查
		油缸座水平度	0.20/1000	用水平仪检查

11.4.6 板坯翻转机安装允许偏差应符合表11.4.6的规定。

检查数量:全数检查。

检验方法：宜符合表 11.4.6 的规定。

表 11.4.6 板坯翻转机安装允许偏差

项次	项目	允许偏差(mm)	检验方法
1	同步轴中心线	1.0	拉钢丝线、吊线锤、用钢尺检查
2	同步轴轴承座至运输机的距离	1.0	拉钢丝线、吊线锤、用钢尺检查
3	同步轴轴承座剖分面标高	±1.00	用水准仪检查
4	同步轴轴承座剖分面水平度：单独	0.10/1000	用水平仪检查
5	同步轴轴承座剖分面水平度：座间	0.10/1000	用平尺和水平仪检查
6	同步轴轴承座瓦口同轴度	0.15	拉钢丝线、用内径千分尺检查
7	传动轴水平度(轴瓦处)	0.15/1000	用水平仪检查
8	减速机剖分面水平度	0.10/1000	用水平仪检查

11.4.7 钢板翻板机安装允许偏差应符合表 11.4.7 的规定。

检查数量：全数检查。

检验方法：宜符合表 11.4.7 的规定。

表 11.4.7 钢板翻板机安装允许偏差

项次	项目	允许偏差(mm)	检验方法
1	送接料杆轴承座纵向中心线	1.0	拉钢丝线、吊线锤、用钢尺检查
2	送接料杆轴承座横向中心线	1.0	拉钢丝线、吊线锤、用钢尺检查
3	轴承座相对检查台横向中心线的平行度	全长不大于 0.50	拉钢丝线、吊线锤、用钢尺检查
4	轴承座剖分面标高	±0.50	用水准仪检查
5	两翻板轴间的距离	1.0	拉钢丝线、吊线锤、用钢尺检查

续表 11.4.7

项次	项目	允许偏差(mm)	检验方法
6	两翻板轴间的相对平行度	全长不大于0.50	拉钢丝线、吊线锤、用钢尺检查
7	两翻板轴轴向相对位置	2.0	拉钢丝线、吊线锤、用钢尺检查
8	轴承座剖分面水平度:单独	0.10/1000	用水平仪检查
9	轴承座剖分面水平度:座间	0.10/1000	用平尺和水平仪检查
10	轴承座瓦口同轴度	0.20	拉钢丝线、用内径千分尺检查

11.4.8 钢管翻转机安装允许偏差应符合表 11.4.8 的规定。

检查数量:全数检查。

检验方法:宜符合表 11.4.8 的规定。

表 11.4.8 钢管翻转机安装允许偏差

项次	项目	允许偏差(mm)	检验方法
1	传动轴纵向中心线	1.5	拉钢丝线、吊线锤、用钢尺检查
2	传动轴横向中心线	1.5	拉钢丝线、吊线锤、用钢尺检查
3	轴承座剖分面标高	±1.00	用水准仪检查
4	轴承座剖分面水平度:单独	0.15/1000	用水平仪检查
5	轴承座剖分面水平度:座间	0.15/1000	用平尺和水平仪检查
6	轴承座瓦口同轴度	0.20	拉钢丝线、用内径千分尺检查
7	减速机剖分面水平度	0.10/1000	用水平仪检查

11.4.9 钢卷翻转机安装允许偏差应符合表 11.4.9 的规定。

检查数量:全数检查。

检验方法:宜符合表 11.4.9 的规定。

表 11.4.9　钢卷翻转机安装允许偏差

项次	项　　目	允许偏差(mm)	检验方法
1	支座纵向中心线	0.5	拉钢丝线、吊线锤、用钢尺检查
2	支座横向中心线	0.5	拉钢丝线、吊线锤、用钢尺检查
3	支座标高	±0.50	用水准仪检查
4	支座水平度	0.10/1000	用水平仪检查

11.5　回　转　台

一 般 项 目

11.5.1　本节回转台的一般项目应符合本规范第 11.1.2 条的规定。

11.5.2　钢锭回转台的回转机构和辊子传动机构,其轴承间隙、齿轮啮合应符合设计文件的要求,设计无要求时应符合现行国家标准《机械设备安装工程施工及验收通用规范》GB 50231 的有关规定。

检查数量:抽查 30%,且不应少于 1 套。

检验方法:检查安装质量记录。

11.5.3　钢卷回转台的升降装置和回转机构,其轴承间隙、齿轮啮合、滑道配合间隙应符合设计文件的要求,设计无要求时应符合现行国家标准《机械设备安装工程施工及验收通用规范》GB 50231 的有关规定。

检查数量:抽查 30%,且不应少于 1 套。

检验方法:检查安装质量记录。

11.5.4　回转台安装允许偏差应符合表 11.5.4 的规定。

检查数量:全数检查。

检验方法:宜符合表 11.5.4 的规定。

表 11.5.4 回转台安装允许偏差

项次	项目	允许偏差(mm)	检验方法
1	纵向中心线	1.0	拉钢丝线、吊线锤、用钢尺检查
2	横向中心线	1.0	拉钢丝线、吊线锤、用钢尺检查
3	标高	±1.00	用水准仪检查
4	水平度	0.10/1000	用水平仪检查
5	传动轴相对转台中心线	0.5	拉钢丝线、吊线锤、用钢尺检查
6	各托辊相对转台中心半径	1.0	拉钢丝线、吊线锤、用钢尺检查
7	各托辊顶面间的水平度	0.10/1000	用平尺和水平仪检查
8	各托辊与转台的接触间隙	0.05	用 0.05mm 塞尺检查
9	回转台上辊道相对前后辊道中心线的平行度	全长不大于 2.0	拉钢丝线、吊线锤、用钢尺检查
10	转台中轴垂直度	0.15/1000	用水平仪检查
11	减速机剖分面水平度	0.10/1000	用水平仪检查

11.6 垛板机

一般项目

11.6.1 本节垛板机的一般项目应符合本规范第 11.1.1 条、第 11.1.2 条的规定。

11.6.2 垛板机台面的纵横方向位移的限定装置、滑道应垂直，间隙应符合设计文件的规定。

检查数量：抽查 30%，且不应少于 1 台。

检验方法：检查安装质量记录。

11.6.3 两根升降螺杆或齿条安装高度应一致，并应同步升降。

检查数量：抽查 30%，且不应少于 1 台。

检验方法：尺量检查。

11.6.4 落地式垛板机安装允许偏差应符合表 11.6.4 的规定。

检查数量：全数检查。

检验方法：宜符合表11.6.4的规定。

表11.6.4 落地式垛板机安装允许偏差

项次	项目	允许偏差(mm)	检验方法
1	定位导向装置纵向中心线	1.0	拉钢丝线、吊线锤、用钢尺检查
2	定位导向装置横向中心线	1.0	拉钢丝线、吊线锤、用钢尺检查
3	定位导向承架、工作台基面的标高	±1.00	用水准仪检查
4	定位装置导承架垂直度	0.20/1000	吊线锤、用内径千分尺或水平仪检查
5	侧向导承架与定向导承架间的距离	2.0	用钢尺检查
6	蜗轮减速机剖分面水平度	0.10/1000	用水平仪检查
7	升降电动机轴与蜗轮轴的同轴度	0.25	拉钢丝线、用内径千分尺检查

11.6.5 悬挂式垛板机安装允许偏差应符合表11.6.5的规定。

检查数量：全数检查。

检验方法：宜符合表11.6.5的规定。

表11.6.5 悬挂式垛板机安装允许偏差

项次	项目	允许偏差(mm)	检验方法
1	垛板机纵向中心线	1.0	拉钢丝线、吊线锤、用钢尺检查
2	垛板机横向中心线	1.0	拉钢丝线、吊线锤、用钢尺检查
3	垛板机标高	±1.00	用水准仪检查
4	齿条柱机座水平度：单独	0.10/1000	用水平仪检查
5	齿条柱机座水平度：座间	0.10/1000	用平尺和水平仪检查

续表 11.6.5

项次	项　　目	允许偏差(mm)	检验方法
6	减速机剖分面水平度	0.10/1000	用水平仪检查
7	齿条柱、减速机轴承瓦口同轴度	0.15	拉钢丝线、用内径千分尺检查
8	齿条柱与套筒座间的配合间隙	0.10	用塞尺检查
9	台面水平度	1.00/1000	用水平仪检查
10	台体滑板与滑槽间隙(单)	1.00～1.20	用塞尺检查

11.7　试　运　转

11.7.1　推床试运转应符合下列规定：

1　单体试运转时进行单开、单闭、同开、同闭，同时右行及同时左行的动作，往返运行均不应少于5次；

2　翻钢机在推板运动的任何位置上进行升降试验均不应少于5次，升降动作应平稳；

3　推板内的冷却水系统工作正常。

检验方法：观察检查，检查试运转记录。

11.7.2　推钢机、出钢机试运转应符合下列规定：

1　在推钢、出钢全行程上，正常往返运行不应少于5次，各部件运行应无卡碰现象；

2　出钢机在取钢杆运动的任何位置上进行升降试验均不应少于5次，升降动作应平稳。

检验方法：观察检查，检查试运转记录。

11.7.3　长行程装钢机试运转应符合下列规定：

1　在装钢全行程上，正常往返运行不应少于5次，各部件运行应无卡碰现象；

2 装钢机在送钢杆运动的任何位置上进行升降试验均不应少于5次，升降动作应平稳。

检验方法：观察检查，检查试运转记录。

11.7.4 长型材横向取/送装置试运转应符合下列规定：

1 横向取(送)装置单体试运转在全行程或回转范围内，往返运行不应少于5次；

2 各部件运行时应无卡碰现象。

检验方法：观察检查，检查试运转记录。

11.7.5 翻转机试运转应符合下列规定：

1 全液压的方坯翻转机试运转，其轧材夹紧装置、旋转装置、夹辊驱动装置、座架横移装置、座架固定装置及旋转中心的调整装置等部件在全行程或回转范围内往返运行均不应少于5次；

2 钢卷翻转机试运转，其调节臂装置和倾翻装置等部件在全行程或回转范围内往返运行均不应少于5次，两缸的速度应一致；

3 轧机导板、轧辊等翻转装置试运转，其倾翻装置在全行程或回转范围内往返运行不应少于5次，夹紧装置应灵活可靠；

4 板坯、钢管翻转机试运转时传动轴带着杠杆或检查叉口回转运行不应少于0.5h，各部件动作应无卡碰现象。钢管翻转机的所有V形托架，应对准在一条直线上，并应均匀同步上升；

5 钢板翻转机两侧的钢板托臂应调整在同一平面上。模拟钢板翻转不应少于5次，各部件动作应无卡碰现象。

检验方法：观察检查，检查试运转记录。

11.7.6 回转台试运转应符合下列规定：

1 钢锭回转台的回转机构和辊道装置各运转不应少于1h；

2 钢卷回转台的升降装置和回转装置，在全行程或回转范围内往返运行均不应少于5次。

检验方法：观察检查，检查试运转记录。

11.7.7 垛板机试运转应符合下列规定：

1 垛板机试运转，在全行程内正常升降不应少于5次；

2 双电动机驱动时，两制动器应同步。

检验方法：观察检查，检查试运转记录。

12 矫　直　机

12.1 压力矫直机

一 般 项 目

12.1.1 减速机的齿侧间隙、齿顶间隙、齿啮合接触面积和传动轴轴向窜动量应符合设计文件的要求，设计无要求时应符合现行国家标准《机械设备安装工程施工及验收通用规范》GB 50231 的有关规定，减速机各部件应密封严密。

检查数量：抽查 30%，且不应少于 1 台。

检验方法：检查安装质量记录，用着色法、压铅法、千分表和塞尺检查。

12.1.2 联轴器装配的两轴心径向位移、两轴线倾斜和联轴器的两端面间隙值应符合设计文件的要求，设计无要求时应符合现行国家标准《机械设备安装工程施工及验收通用规范》GB 50231 的有关规定。

检查数量：全数检查。

检验方法：检查安装质量记录，用百分表和塞尺检查。

12.1.3 横式液压压力矫直机安装允许偏差应符合表 12.1.3 的规定。

检查数量：全数检查。

检验方法：宜符合表 12.1.3 的规定。

表 12.1.3 横式液压压力矫直机安装允许偏差

项次	项　　目	允许偏差 (mm)	检验方法
1	底座纵向中心线	1.0	拉钢丝线、吊线锤、用钢尺检查

续表 12.1.3

项次	项　　目	允许偏差(mm)	检验方法
2	底座横向中心线	1.0	拉钢丝线、吊线锤、用钢尺检查
3	底座标高	±1.00	用水准仪检查
4	底座水平度	0.10/1000	用平尺和水平仪检查
5	压头移动台车轨道纵向中心线	1.0	拉钢丝线、吊线锤、用钢尺检查
6	压头移动台车轨道水平度	0.10/1000	用水平仪检查
7	压头移动台车两轨道相对水平度	1.0	用平尺和水平仪检查

12.2 平行辊式矫直机

一般项目

12.2.1 减速机的齿侧间隙、齿顶间隙、齿啮合接触面积和传动轴轴向窜动量应符合设计文件的要求，设计无要求时应符合现行国家标准《机械设备安装工程施工及验收通用规范》GB 50231 的有关规定，减速机各部件应密封严密。

检查数量：抽查 30%，且不应少于 1 台。

检验方法：检查安装质量记录，用着色法、压铅法、千分表和塞尺检查。

12.2.2 联轴器装配的两轴心径向位移、两轴线倾斜和联轴器的两端面间隙值应符合设计文件的要求，设计无要求时应符合现行国家标准《机械设备安装工程施工及验收通用规范》GB 50231 的有关规定。

检查数量：全数检查。

检验方法：检查安装质量记录，用百分表和塞尺检查。

12.2.3 平行辊式矫直机组合机架安装允许偏差应符合表12.2.3的规定。

检查数量:全数检查。

检验方法:宜符合表 12.2.3 的规定。

表 12.2.3 平行辊式矫直机组合机架安装允许偏差

项次	项　　目	允许偏差(mm)	检 验 方 法
1	底板标高	±0.50	用水准仪检查
2	底板纵向中心线	0.5	拉钢丝线、吊线锤、用钢尺检查
3	底板横向中心线	0.5	拉钢丝线、吊线锤、用钢尺检查
4	底板水平度	0.05/1000	用水平仪检查
5	两底板间水平度	0.10/1000	用平尺和水平仪检查
6	下框架标高	±0.50	用水准仪检查
7	下框架纵向中心线	0.5	拉钢丝线、吊线锤、用钢尺检查
8	下框架横向中心线	0.5	拉钢丝线、吊线锤、用钢尺检查
9	下框架水平度	0.05/1000	用平尺和水平仪检查
10	中间机架窗口面垂直度	0.05/1000	吊线锤、用内径千分尺、耳机或灯光检查
11	框架接合面间隙	四周 75%不入,局部允许 0.10	用 0.05mm 塞尺检查

12.2.4 平行辊式矫直机换辊装置安装允许偏差应符合表12.2.4的规定。

检查数量:全数检查。

检验方法:宜符合表 12.2.4 的规定。

表 12.2.4 平行辊式矫直机换辊装置安装允许偏差

项次	项　　目	允许偏差(mm)	检 验 方 法
1	换辊轨道标高	±0.30	用水准仪检查

续表 12.2.4

项次	项　　目	允许偏差(mm)	检 验 方 法
2	换辊轨道中心线	0.3	拉钢丝线、吊线锤、用钢尺检查
3	换辊轨道水平度	0.50/1000	用水平仪检查
4	液压缸纵向中心线	0.5	拉钢丝线、吊线锤、用钢尺检查
5	液压缸横向中心线	0.5	拉钢丝线、吊线锤、用钢尺检查
6	液压缸标高	±0.50	用水准仪检查
7	液压缸水平度	0.20/1000	用水平仪检查

12.3 张力矫直机

一 般 项 目

12.3.1 减速机的齿侧间隙、齿顶间隙、齿啮合接触面积和传动轴轴向窜动量应符合设计文件的要求，设计无要求时应符合现行国家标准《机械设备安装工程施工及验收通用规范》GB 50231 的有关规定，减速机各部件应密封严密。

检查数量：抽查 30%，且不应少于 1 台。

检验方法：检查安装质量记录，用着色法、压铅法、千分表和塞尺检查。

12.3.2 联轴器装配的两轴心径向位移、两轴线倾斜和联轴器的两端面间隙值应符合设计文件的要求，设计无要求时应符合现行国家标准《机械设备安装工程施工及验收通用规范》GB 50231 的有关规定。

检查数量：全数检查。

检验方法：检查安装质量记录，用百分表和塞尺检查。

12.3.3 张力矫直机安装允许偏差应符合表 12.3.3 的规定。

检查数量：全数检查。

检验方法：宜符合表 12.3.3 的规定。

表 12.3.3 张力矫直机安装允许偏差

项次	项　　目	允许偏差(mm)	检验方法
1	千斤顶座标高	±0.50	用水准仪检查
2	千斤顶座纵向中心线	0.5	拉钢丝线、吊线锤、用钢尺检查
3	千斤顶座横向中心线	0.5	拉钢丝线、吊线锤、用钢尺检查
4	千斤顶相对水平度	0.05/1000	用平尺和水平仪检查
5	张力矫直机本体标高	±0.30	用水准仪检查
6	张力矫直机本体纵向中心线	0.5	拉钢丝线、吊线锤、用钢尺检查
7	张力矫直机本体横向中心线	0.5	拉钢丝线、吊线锤、用钢尺检查
8	张力矫直机本体水平度	0.05/1000	用平尺和水平仪检查
9	张力辊纵向中心线	0.5	拉钢丝线、吊线锤、用钢尺检查
10	张力辊横向中心线	0.5	拉钢丝线、吊线锤、用钢尺检查
11	张力辊相对高低差	±0.50	用水准仪检查
12	张力辊水平度	0.05/1000	用水平仪检查
13	张力辊相对机组中心线的垂直度	0.05/1000	拉钢丝线、吊线锤、用钢尺检查

12.4 斜辊式矫直机

一 般 项 目

12.4.1 减速机的齿侧间隙、齿顶间隙、齿啮合接触面积和传动轴轴向窜动量应符合设计文件的要求，设计无要求时应符合现行国家标准《机械设备安装工程施工及验收通用规范》GB 50231 的有关规定，减速机各部件应密封严密。

检查数量：抽查 30％，且不应少于 1 台。

检验方法:检查安装质量记录,用着色法、压铅法、千分表和塞尺检查。

12.4.2 联轴器装配的两轴心径向位移、两轴线倾斜和联轴器的两端面间隙值应符合设计文件的要求,设计无要求时应符合现行国家标准《机械设备安装工程施工及验收通用规范》GB 50231 的有关规定。

检查数量:全数检查。

检验方法:检查安装质量记录,用百分表和塞尺检查。

12.4.3 斜辊式矫直机安装允许偏差应符合表 12.4.3 的规定。

检查数量:全数检查。

检验方法:宜符合表 12.4.3 的规定。

表 12.4.3 斜辊式矫直机安装允许偏差

项次	项　目	允许偏差(mm)	检验方法
1	底座标高	±0.50	用样棒、水准仪检查
2	底座纵向中心线	0.5	拉钢丝线、吊线锤、用钢尺检查
3	底座横向中心线	0.5	拉钢丝线、吊线锤、用钢尺检查
4	水平度	0.10/1000	用样棒、水平仪检查
5	机架立柱垂直度	0.10/1000	吊线锤、用内径千分尺检查
6	样棒与全部工作辊辊型曲面接触,局部允许间隙	0.10	用样棒、塞尺检查
7	驱动减速机中心线	1.0	拉钢丝线、吊线锤、用钢尺检查
8	驱动减速机标高	±0.50	用水准仪检查
9	驱动减速机水平度	0.10/1000	用水平仪检查

12.5 试　运　转

12.5.1 横式液压压力矫直机往返运行不应少于 5 次,夹紧液压缸、移动液压缸及液压马达运行应平稳。

检验方法：观察检查，检查试运转记录。

12.5.2 辊式矫直机、张力矫直机及斜辊式矫直机连续运转不应少于2h。有反转要求的，正反转运转均不应少于1h。

检验方法：观察检查，检查试运转记录。

13 活　　套

13.1 钢　结　构

Ⅰ　主控项目

13.1.1 构件的材质、加工精度应符合设计文件的规定，运输、堆放和吊装的构件变形时应矫正。

检查数量：抽查10%，且不应少于10件。

检验方法：检查构件质量合格证明文件，观察和拉钢丝线用钢尺检查。

Ⅱ　一般项目

13.1.2 结构表面应干净，无焊疤、油污和泥沙。油漆涂刷应均匀，无皱皮、流坠。

检查数量：按构件数量抽查10%，且不应少于10件。

检验方法：观察检查。

13.1.3 构件的安装结合面的接触面不应少于70%，且边缘最大间隙不应大于0.8mm。

检查数量：连接点数抽查10%，且不应少于10处。

检验方法：用0.3mm和0.8mm的塞尺检查，用钢板尺测量塞入深度。

13.1.4 钢结构安装允许偏差应符合表13.1.4的规定。

检查数量：全数检查。

检验方法：宜符合表13.1.4的规定。

表13.1.4　钢结构安装允许偏差

项次	项　目		允许偏差(mm)	检验方法
1	卧式活套	纵向中心线	2.0	拉钢丝线、吊线锤、用钢尺检查
		横向中心线	2.0	拉钢丝线、吊线锤、用钢尺检查

续表 13.1.4

项次	项目		允许偏差(mm)	检验方法
1	卧式活套	标高	±2.00	用水准仪检查
		立柱垂直度	0.50/1000 全高不大于 6.0	吊线锤、用钢尺检查
		立柱对角线	5.0	用钢盘尺检查
2	立式活套	立柱纵向中心线	2.0	拉钢丝线、吊线锤、用钢尺检查
		立柱横向中心线	2.0	拉钢丝线、吊线锤、用钢尺检查
		标高	±2.00	用水准仪检查
		立柱垂直度	0.50/1000 全高不大于 10.0	吊线锤、用钢尺检查
		立柱对角线	5.0	用钢盘尺检查

13.2 轨　　道

Ⅰ　主控项目

13.2.1　轨道的品种、规格、型号和质量应符合设计文件的规定。

检查数量:全数检查。

检验方法:检查质量合格证明文件,观察和尺量检查。

Ⅱ　一般项目

13.2.2　轨道的联接螺栓、固定螺栓安装应垂直、固定可靠,螺母、垫圈与结构件间应接触紧密。紧固后螺栓应露出螺母,外露螺纹无损伤,螺栓拧入方向除构造原因外应一致。

检查数量:按节点数量抽查 10%,且不应少于 10 处。

检验方法:用扳手拧试,观察检查。

13.2.3　轨道焊接接头焊波应均匀,焊渣和飞溅物应清理干净,轨道的上面和侧面焊缝应磨平,接头处无弯曲。

检查数量:抽查 10%,且不应少于 10 处。

检验方法:观察检查。

13.2.4　轨道安装允许偏差应符合表 13.2.4 的规定。

检查数量:全数检查,每 3m～5m 检查 1 处。

检验方法:宜符合表 13.2.4 的规定。

表 13.2.4 轨道安装允许偏差

项次	项目		允许偏差(mm)	检验方法
1	卧式活套车轨道	基准轨中心线	0.5	拉钢丝线、吊线锤、用钢尺检查
		非基准轨中心线	1.0	拉钢丝线、吊线锤、用钢尺检查
		标高	±0.50	用水准仪检查
		两轨平行度	全长不大于 1.00	用样棒或钢尺量检查
		同一横断面上两轨道间高低差	±0.50	用水准仪检查
2	立式活套车导轨	纵向中心线	1.5	拉钢丝线、吊线锤、用钢尺检查
		横向中心线	1.5	拉钢丝线、吊线锤、用钢尺检查
		垂直度	0.50/1000 全高不大于 3.0	吊线锤、用钢尺检查

13.3 摆 动 门

一 般 项 目

13.3.1 摆动门安装允许偏差应符合表 13.3.1 的规定。

检查数量:全数检查。

检验方法:宜符合表 13.3.1 的规定。

表 13.3.1 摆动门安装允许偏差

项次	项目	允许偏差(mm)	检验方法
1	标高(以轨道面为基准)	±1.00	用水准仪检查
2	纵向中心线	0.5	拉钢丝线、吊线锤、用钢尺检查
3	横向中心线	1.0	拉钢丝线、吊线锤、用钢尺检查
4	旋转轴的垂直度	0.15/1000	用水平仪或吊线锤、用钢尺检查

续表 13.3.1

项次	项　　目	允许偏差(mm)	检 验 方 法
5	摆动门闭时,托辊上面水平度(内端不应高于外端)	0.20/1000	用水平仪检查
6	摆动门闭时,左右侧摆动门两托辊高低差	±0.50	用钢尺检查
7	摆动门闭时,左右侧摆动门两托辊直线度	1.0	拉钢丝线、用钢尺检查
8	摆动门闭时,左右侧摆动门两托辊相对活套横向中心线的平行度	全长不大于1.0	拉钢丝线、用钢尺检查
9	摆动门开时,开闭导轮中心与活套纵向中心线的距离	1.0	拉钢丝线、吊线锤、用钢尺检查
10	摆动门闭时,开闭导轮中心与活套纵向中心线的距离	1.0	拉钢丝线、吊线锤、用钢尺检查

13.3.2 摆动门轮胎辊式传动机构安装允许偏差应符合表13.3.2的规定。

检查数量:全数检查。

检验方法:宜符合表 13.3.2 的规定。

表 13.3.2 摆动门轮胎辊式传动机构安装允许偏差

项次	项　　目	允许偏差(mm)	检 验 方 法
1	标高	±2.00	用水准仪检查
2	纵向中心线	2.0	拉钢丝线、吊线锤、用钢尺检查
3	横向中心线	2.0	拉钢丝线、吊线锤、用钢尺检查
4	水平度(底座上面)	0.20/1000	用水平仪检查

13.4 活　套　车

一 般 项 目

13.4.1 活套车车轮与轨道间的间隙应符合设计文件的规定。

检查数量:全数检查。

检验方法:用塞尺检查。

13.4.2 活套车安装允许偏差应符合表 13.4.2 的规定。

检查数量:全数检查。

检验方法:宜符合表 13.4.2 的规定。

表 13.4.2 活套车安装允许偏差

项次	项目		允许偏差(mm)	检验方法
1	卧式活套的活套车	转向辊轴向水平度	0.10/1000	用水平仪检查
		转向辊相对活套纵向中心线的垂直度	0.10/1000	拉钢丝线、用摇臂、内径千分尺检查
		S型导槽两端头与活套纵向中心线的距离	1.0	拉钢丝线、吊线锤、用钢尺检查
2	立式活套的活套车	转向辊轴向水平度	0.10/1000	用水平仪检查
		相对相邻转向辊的平行度	0.10/1000	用内径千分尺检查
		转向辊相对机组纵向中心线的垂直度	0.10/1000	拉钢丝线、用摇臂、内径千分尺检查

13.5 托辊和托辊车

一 般 项 目

13.5.1 带钢中间托辊车车轮与轨道间的间隙应符合设计文件的规定。

检查数量:抽查 30%,且不应少于 4 台托辊车。

检验方法:用塞尺检查。

13.5.2 带钢托辊安装允许偏差应符合表 13.5.2 的规定。

检查数量:全数检查。

检验方法:宜符合表 13.5.2 的规定。

表 13.5.2 带钢托辊安装允许偏差

项次	项　目	允许偏差(mm)	检验方法
1	纵向中心线	1.0	拉钢丝线、吊线锤、用钢尺检查
2	横向中心线	1.0	拉钢丝线、吊线锤、用钢尺检查
3	标高	±2.00	用水准仪检查
4	辊子水平度	0.20/1000	用水平仪检查
5	辊子相对机组纵向中心线的垂直度	0.30/1000	拉钢丝线、用摇臂、内径千分尺检查

13.5.3 带钢中间托辊车安装允许偏差应符合表 13.5.3 的规定。

检查数量:全数检查。

检验方法:宜符合表 13.5.3 的规定。

表 13.5.3 带钢中间托辊车安装允许偏差

项次	项　目	允许偏差(mm)	检验方法
1	托辊车在锁定位置时纵向中心线	1.0	拉钢丝线、吊线锤、用钢尺检查
2	托辊车在锁定位置时横向中心线	5.0	拉钢丝线、吊线锤、用钢尺检查
3	托辊车在锁定位置时托辊轴向水平度	0.20/1000	用水平仪检查
4	托辊车在锁定位置时托辊相对活套纵向中心线的垂直度	0.10/1000	拉钢丝线、用摇臂、内径千分尺检查

13.6 卷 扬 机

一 般 项 目

13.6.1 联轴器装配的两轴心径向位移、两轴线倾斜和联轴器的两端面间隙值应符合设计文件的要求，设计无要求时应符合现行国家标准《机械设备安装工程施工及验收通用规范》GB 50231 的有关规定。

检查数量：全数检查。

检验方法：检查安装质量记录，用百分表和塞尺检查。

13.6.2 活套卷扬机安装允许偏差应符合表13.6.2的规定。

检查数量：全数检查。

检验方法：宜符合表13.6.2的规定。

表 13.6.2 活套卷扬机安装允许偏差

项次	项目	允许偏差(mm)	检验方法
1	标高	±1.00	用水准仪检查
2	纵向中心线	1.0	拉钢丝线、吊线锤、用钢尺检查
3	横向中心线	1.0	拉钢丝线、吊线锤、用钢尺检查
4	卷筒水平度	0.10/1000	用水平仪检查
5	驱动减速机水平度	0.10/1000	用水平仪检查

13.7 试 运 转

13.7.1 钢丝绳安装前，活套卷扬机连续运转不应少于2h，并应进行增减速试验。

检验方法：观察检查，检查试运转记录。

13.7.2 卧式活套的活套车在全行程内往返运行不应少于5次，并应进行增减速试验。活套车运行应平稳，无卡轨、跳动现象；摆动门开闭应灵活可靠，无撞击现象。

检验方法：观察检查，检查试运转记录。

13.7.3 中间托辊车随活套车在全行程内往返运行不应少于5次，并应进行增减速试验。托辊车的锁定装置动作应灵活可靠，运行应平稳，无卡轨、跳动和撞击现象。

检验方法：观察检查，检查试运转记录。

13.7.4 立式活套的活套车在全行程内上升下降运行不应少于5次，并应进行增减速试验。活套车运行应平稳，无卡轨、振动现象；平衡锤在滑道内移动不应有卡阻现象，锤的重量应符合设计文件的规定。

检验方法：观察检查，检查试运转记录。

13.7.5 转向辊和卧式活套带钢托辊转动应灵活。

检验方法：观察检查，检查试运转记录。

14 焊　　机

14.1 闪光焊机

Ⅰ　主控项目

14.1.1 闪光焊机固定机架与底座间的绝缘应符合设计文件的规定。

检查数量:全数检查。

检验方法:检查试验记录。

Ⅱ　一般项目

14.1.2 闪光焊机的导电夹钳及光整机夹钳的错口值应符合设计文件的规定。

检查数量:全数检查。

检验方法:检查安装质量记录。

14.1.3 闪光焊机的底座、固定机架、顶端滑座、滑轨等的接口连接应符合设计文件的规定。

检查数量:抽查20%,且不应少于4处。

检验方法:检查安装质量记录,观察和用扳手试拧检查。

14.1.4 闪光焊机安装允许偏差应符合表14.1.4的规定。

检查数量:全数检查。

检验方法:宜符合表14.1.4的规定。

表14.1.4　闪光焊机安装允许偏差

项次	项　目	允许偏差(mm)	检验方法
1	纵向中心线	0.5	拉钢丝线、吊线锤、用钢尺检查
2	横向中心线	1.0	拉钢丝线、吊线锤、用钢尺检查

续表 14.1.4

项次	项　　目	允许偏差(mm)	检验方法
3	标高	±0.50	用水准仪检查
4	纵向水平度	0.10/1000	用水平仪检查
5	横向水平度	0.10/1000	用水平仪检查
6	橡胶辊面水平度	0.10/1000	用水平仪检查

14.2 窄搭接焊机

一 般 项 目

14.2.1 窄搭接焊机的导电夹钳及光整机夹钳的错口值应符合设计文件的规定。

检查数量：全数检查。

检验方法：检查安装质量记录。

14.2.2 窄搭接焊机安装允许偏差应符合表 14.2.2 的规定。

检查数量：全数检查。

检验方法：宜符合表 14.2.2 的规定。

表 14.2.2 窄搭接焊机允许偏差

项次	项　　目	允许偏差(mm)	检验方法
1	纵向中心线	1.0	拉钢丝线、吊线锤、用钢尺检查
2	横向中心线	1.0	拉钢丝线、吊线锤、用钢尺检查
3	标高	0～+2.00	用水准仪检查
4	纵向水平度	0.10/1000	用水平仪检查
5	横向水平度	0.10/1000	用水平仪检查
6	辊子辊颈顶面水平度	0.1/1000	用水平仪检查
7	辊子标高	0～+2.00	用水准仪检查

14.3 激光焊机

一般项目

14.3.1 激光焊机底座安装允许偏差应符合表14.3.1的规定。

检查数量:全数检查。

检验方法:宜符合表14.3.1的规定。

表14.3.1 激光焊机底座安装允许偏差

项次	项目	允许偏差(mm)	检验方法
1	纵向中心线	1.0	拉钢丝线、吊线锤、用钢尺检查
2	横向中心线	1.0	拉钢丝线、吊线锤、用钢尺检查
3	标高	±1.00	用水准仪检查
4	纵向水平度	0.05/1000	用水平仪检查
5	横向水平度	0.05/1000	用水平仪检查

14.3.2 激光焊机轨道安装允许偏差应符合表14.3.2的规定。

检查数量:全数检查。

检验方法:宜符合表14.3.2的规定。

表14.3.2 激光焊机轨道安装允许偏差

项次	项目	允许偏差(mm)	检验方法
1	相对底座中心线的平行度	0.05/1000	拉钢丝线、用内径千分尺检查
2	标高	±1.00	用水准仪检查
3	水平度	0.05/1000	用水平仪检查
4	两轨道间的水平度	0.05/1000	用平尺和水平仪检查

14.3.3 激光焊机入、出口辊台安装允许偏差应符合表14.3.3的规定。

检查数量:全数检查。

检验方法：宜符合表 14.3.3 的规定。

表 14.3.3 激光焊机入、出口辊台安装允许偏差

项次	项目		允许偏差(mm)	检验方法
1	入口辊台	纵向中心线	1.0	拉钢丝线、吊线锤、用钢尺检查
		横向中心线	1.0	拉钢丝线、吊线锤、用钢尺检查
		标高	±0.50	用水准仪检查
		水平度	0.10/1000	用水平仪检查
2	出口辊台	纵向中心线	1.0	拉钢丝线、吊线锤、用钢尺检查
		横向中心线	1.0	拉钢丝线、吊线锤、用钢尺检查
		标高	±0.50	用水准仪检查
		水平度	0.10/1000	用水平仪检查

14.4 试 运 转

14.4.1 闪光焊机的活套举起装置、对中及矫正装置、焊钳夹紧装置、定缝刀升降装置、焊接夹头清理装置、顶锻滑座驱动装置、焊缝加工装置、侧边冲切装置等部件，在全行程内往返运行均不应少于5 次。

检验方法：观察检查、检查试运转记录。

14.4.2 窄搭接滚压缝焊机的进出口夹紧装置、进口对中装置、带钢头部剪切装置、焊缝压平装置、冲孔装置等部件，在全行程内往返运行均不应少于 5 次。

检验方法：观察检查，检查试运转记录。

14.4.3 激光焊机的入口辊台压紧装置、出口辊台压紧装置、焊接小车夹紧装置、焊接小车走行装置等部件，在全行程内往返运行均不应少于 5 次。

检验方法：观察检查，检查试运转记录。

15 加 热 炉

15.1 步进式加热炉

Ⅰ 主 控 项 目

15.1.1 炉底板与炉底梁的焊接应符合设计文件的规定。

检查数量：抽查30%，且不应少于10处。

检验方法：观察检查。

15.1.2 步进水梁及其冷却水系统安装后、交付耐材施工前，应按设计文件的要求进行水压试验。

检查数量：全数检查。

检验方法：观察检查，检查试验记录。

Ⅱ 一 般 项 目

15.1.3 步进式加热炉炉体钢结构安装允许偏差应符合表15.1.3的规定。

检查数量：全数检查。

检验方法：宜符合表15.1.3的规定。

表15.1.3 步进式加热炉炉体钢结构安装允许偏差

项次	项目		允许偏差(mm)	检验方法
1	炉底结构	炉底立柱纵向中心线(沿炉宽方向)	1.0	拉钢丝线、吊线锤、用钢尺检查
		炉底梁横向中心线(沿炉长方向)	2.0	拉钢丝线、吊线锤、用钢尺检查
		炉底纵梁相对炉子中心线的平行度	2.0	用钢尺检查
		炉底梁上平面标高	±2.00	用水准仪检查

续表 15.1.3

项次	项目		允许偏差(mm)	检验方法
2	侧墙结构	圈梁标高	±2.00	用水准仪检查
		侧墙与炉子中心线的距离	2.0	用钢尺检查
		侧墙垂直度	全高不大于5.00	吊线锤、用钢尺检查
		侧墙平面度(两柱间)	5.0	拉钢线、用钢尺检查
3	炉顶结构	炉顶梁在炉长方向的位置偏差	2.0	拉钢线、吊线锤、用钢尺检查
		炉顶梁标高	±5.00	用水准仪检查
4	装出料端结构	门柱垂直度	全高不大于3.00	吊线锤、用钢尺检查
		门梁顶面标高	±3.00	用水准仪检查
		水冷梁顶面标高	±2.00	用水准仪检查

15.1.4 步进式加热炉炉体设备安装允许偏差应符合表 15.1.4 的规定。

检查数量:全数检查。

检验方法:宜符合表 15.1.4 的规定。

表 15.1.4 步进式加热炉炉体设备安装允许偏差

项次	项目		允许偏差	检验方法
1	斜台面	纵向中心线	1.0mm	拉钢丝线、吊线锤、用钢尺检查
		横向中心线	2.0mm	拉钢丝线、吊线锤、用钢尺检查
		相对炉子纵向中心线的平行度	0.50mm	用钢尺检查

续表 15.1.4

项次	项目		允许偏差	检验方法
1	斜台面	标高	±0.50mm	用专用模块、水准仪检查
		水平度	0.20mm/m	用专用模块、水平仪检查
2	提升框架组装	提升框架对角线差	4.0mm	用钢尺检查
		提升滚轮纵向中心线	1.0mm	拉钢丝线、吊线锤、用钢尺检查
		提升滚轮横向中心线	2.0mm	拉钢丝线、吊线锤、用钢尺检查
		提升滚轮相对炉子中心线的平行度	0.50mm/m	用钢尺检查
3	平移滚轮	平移滚轮纵向中心线	2.0mm	拉钢丝线、吊线锤、用钢尺检查
		平移滚轮横向中心线	2.0mm	拉钢丝线、吊线锤、用钢尺检查
		平移滚轮相对炉子中心线的平行度	0.50mm/m	用钢尺检查
		平移滚轮顶面高度差	±0.50mm	用水准仪检查
4	提升框架侧导向座	标高	±1.00mm	用水准仪检查
		纵向中心线	2.0mm	拉钢丝线、吊线锤、用钢尺检查
		横向中心线	2.0mm	拉钢丝线、吊线锤、用钢尺检查
		水平度	0.50mm/m	用水平仪检查
		导向轮与轨道间的间隙	0.10mm	用块规、塞尺检查
5	平移轨道	纵向中心线	2.0mm	拉钢丝线、吊线锤、用钢尺检查
		横向中心线	2.0mm	拉钢丝线、吊线锤、用钢尺检查
		平移轨道相对炉子中心线的平行度	0.50mm/m	用钢尺检查
		平移轨道顶面标高	±0.50mm	用水准仪检查
		水平度	0.50mm/m	用水平仪检查
		导向轮与轨道间的间隙	0.10mm	用块规、塞尺检查

续表 15.1.4

项次	项目		允许偏差	检验方法
6	平移框架	立柱支座顶面标高	±2.00mm	用水准仪检查
		立柱支座横向中心线	2.0mm	拉钢丝线、吊线锤、用钢尺检查
		立柱支座纵向中心线	1.0mm	拉钢丝线、吊线锤、用钢尺检查
		框架对角线差	4.0mm	用钢尺检查
7	提升油缸	底座纵向中心线	1.0mm	拉钢丝线、吊线锤、用钢尺检查
		底座横向中心线	1.0mm	拉钢丝线、吊线锤、用钢尺检查
		销轴孔标高	±1.00mm	用水准仪检查
		底座角度偏差	±0.1°	用角度规检查
8	平移油缸	底座纵向中心线	1.0mm	拉钢丝线、吊线锤、用钢尺检查
		底座横向中心线	1.0mm	拉钢丝线、吊线锤、用钢尺检查
		销轴孔标高	±1.00mm	用水准仪检查

15.1.5 曲柄式提升驱动装置及水梁的安装验收应符合现行国家标准《钢铁厂加热炉工程质量验收规范》GB 50825 的有关规定。

15.2 环形加热炉

一般项目

15.2.1 齿圈组装精度应符合设计文件的规定。

检查数量:全数检查。

检验方法:用样板检查。

15.2.2 环形加热炉炉体钢结构安装允许偏差应符合表 15.2.2 的规定。

检查数量:全数检查。

检验方法:宜符合表 15.2.2 的规定。

表 15.2.2 环形加热炉炉体钢结构安装允许偏差

<table>
<tr><th>项次</th><th colspan="3">项　目</th><th>允许偏差（mm）</th><th>检验方法</th></tr>
<tr><td rowspan="17">1</td><td rowspan="17">底部圈梁</td><td rowspan="2">底部内环圈梁直径</td><td>Φ>15m</td><td>6.0</td><td rowspan="2">用钢尺检查</td></tr>
<tr><td>Φ≤15m</td><td>4.0</td></tr>
<tr><td rowspan="2">底部外环圈梁直径</td><td>Φ>15m</td><td>6.0</td><td rowspan="2">用钢尺检查</td></tr>
<tr><td>Φ≤15m</td><td>4.0</td></tr>
<tr><td rowspan="2">底部内环圈梁圆周方向位置</td><td>Φ>15m</td><td>7.0</td><td rowspan="2">拉钢丝线、吊线锤、用钢尺检查</td></tr>
<tr><td>Φ≤15m</td><td>5.0</td></tr>
<tr><td rowspan="2">底部外环圈梁圆周方向位置</td><td>Φ>15m</td><td>7.0</td><td rowspan="2">拉钢丝线、吊线锤、用钢尺检查</td></tr>
<tr><td>Φ≤15m</td><td>5.0</td></tr>
<tr><td colspan="2">底部内环圈梁径向位置</td><td>2.0</td><td>用钢尺检查</td></tr>
<tr><td colspan="2">底部外环圈梁径向位置</td><td>2.0</td><td>用钢尺检查</td></tr>
<tr><td colspan="2">底部内环圈梁标高</td><td>±2.00</td><td>用水准仪检查</td></tr>
<tr><td colspan="2">底部外环圈梁标高</td><td>±2.00</td><td>用水准仪检查</td></tr>
<tr><td colspan="2">同一半径上内外环圈梁高低差</td><td>±3.00</td><td>用水准仪检查</td></tr>
<tr><td>2</td><td colspan="3">炉体内、外立柱垂直度</td><td>全高不大于5.0</td><td>吊线锤、用钢尺检查</td></tr>
<tr><td rowspan="2">3</td><td rowspan="2">炉顶结构</td><td colspan="2">炉顶梁相对炉墙柱中心线</td><td>3.0</td><td>用钢尺检查</td></tr>
<tr><td colspan="2">炉顶梁标高</td><td>±3.00</td><td>用水准仪检查</td></tr>
</table>

注：Φ为底部圈梁直径。

15.2.3 环形加热炉炉底盘的安装验收应符合现行国家标准《钢铁厂加热炉工程质量验收规范》GB 50825 的有关规定。

15.3 连续退火炉

Ⅰ 主控项目

15.3.1 连续退火炉的炉体在耐材施工、设备安装结束后，应按设计文件的规定进行气密性试验。

检查数量:全数检查。

检验方法:观察检查,检查试验记录。

Ⅱ 一般项目

15.3.2 炉辊轴承的装配应符合设计文件的规定。

检查数量:抽查10%,且不应少于8套。

检验方法:检查安装质量记录。

15.3.3 连续退火炉炉体钢结构安装允许偏差应符合表15.3.3的规定。

检查数量:全数检查。

检验方法:宜符合表15.3.3的规定。

表15.3.3 连续退火炉炉体钢结构安装允许偏差

<table>
<tr><th>项次</th><th colspan="2">项目</th><th>允许偏差
(mm)</th><th>检验方法</th></tr>
<tr><td rowspan="6">1</td><td rowspan="6">炉子平台结构</td><td>柱子纵向中心线</td><td>3.0</td><td>拉钢丝线、吊线锤、用钢尺检查</td></tr>
<tr><td>柱子横向中心线</td><td>3.0</td><td>拉钢丝线、吊线锤、用钢尺检查</td></tr>
<tr><td>柱子垂直度</td><td>0.80/1000
全高不大于
15.00</td><td>吊线锤、用钢尺检查</td></tr>
<tr><td>柱子标高</td><td>±5.00</td><td>用水准仪检查</td></tr>
<tr><td>梁标高</td><td>±5.00</td><td>用水准仪检查</td></tr>
<tr><td>相邻立柱对角线</td><td>10.00</td><td>用钢尺检查</td></tr>
<tr><td rowspan="6">2</td><td rowspan="6">炉壳</td><td>炉底室纵向中心线</td><td>3.0</td><td>拉钢丝线、吊线锤、用钢尺检查</td></tr>
<tr><td>炉底室横向中心线</td><td>3.0</td><td>拉钢丝线、吊线锤、用钢尺检查</td></tr>
<tr><td>炉底室标高</td><td>±3.00</td><td>用水准仪检查</td></tr>
<tr><td>炉顶室纵向中心线</td><td>3.0</td><td>拉钢丝线、吊线锤、用钢尺检查</td></tr>
<tr><td>炉顶室横向中心线</td><td>3.0</td><td>拉钢丝线、吊线锤、用钢尺检查</td></tr>
<tr><td>炉顶室标高</td><td>±3.00</td><td>用水准仪检查</td></tr>
</table>

续表 15.3.3

项次	项目		允许偏差(mm)	检验方法
2	炉壳	炉侧板纵向中心线	3.0	拉钢丝线、吊线锤、用钢尺检查
		炉侧板横向中心线	3.0	拉钢丝线、吊线锤、用钢尺检查
		炉侧板垂直度(全高)	6.0	吊线锤、用钢尺检查
		炉室对角线	5.0	用钢尺检查

15.3.4 炉体设备安装允许偏差应符合表 15.3.4 的规定。

检查数量:全数检查。

检验方法:宜符合表 15.3.4 的规定。

表 15.3.4 炉体设备安装允许偏差

项次	项目		允许偏差(mm)	检验方法
1	冷风箱、热风箱	标高	±5.00	用水准仪检查
		纵向中心线	3.0	拉钢丝线、吊线锤、用钢尺检查
		横向中心线	3.0	拉钢丝线、吊线锤、用钢尺检查
		垂直度	全高不大于 3.00	吊线锤、用钢尺检查
2	炉辊	标高	±3.00	用水准仪检查
		纵向中心线	1.0	拉钢丝线、吊线锤、用钢尺检查
		横向中心线	1.0	拉钢丝线、吊线锤、用钢尺检查
		辊面水平度	0.10/1000	用水平仪检查
		辊子相对机组纵向中心线的垂直度	0.10/1000	拉钢丝线、用摇臂、内径千分尺检查

15.4 辊底式加热炉

Ⅰ 主控项目

15.4.1 炉底梁与基础埋件的连接及固定应符合设计文件的规定。

检查数量：全数检查。

检验方法：观察检查。

Ⅱ 一般项目

15.4.2 炉辊轴承的装配应符合设计文件的规定。

检查数量：抽查10%，且不应少于8套。

检验方法：检查安装质量记录。

15.4.3 炉底渣门的安装应符合设计文件的规定。

检查数量：抽查30%，且不应少于4套。

检验方法：检查安装质量记录。

15.4.4 辊底式加热炉炉体钢结构安装允许偏差应符合表15.4.4的规定。

检查数量：全数检查。

检验方法：宜符合表15.4.4的规定。

表15.4.4 辊底式加热炉炉体钢结构安装允许偏差

项次	项目		允许偏差（mm）	检验方法
1	炉底梁	纵向中心线	1.5	拉钢丝线、吊线锤、用钢尺检查
		横向中心线	1.5	拉钢丝线、吊线锤、用钢尺检查
		梁上平面标高	±1.50	用水准仪检查
2	侧墙	纵向中心线	1.5	拉钢丝线、吊线锤、用钢尺检查
		横向中心线	1.5	拉钢丝线、吊线锤、用钢尺检查
		标高	±1.50	用水准仪检查
		垂直度	全高不大于6.00	吊线锤、用钢尺检查
3	炉顶结构	炉顶梁相对炉墙柱	3.0	用钢尺检查
		炉顶梁标高	±3.00	用水准仪检查

15.4.5 辊底式加热炉炉辊安装允许偏差应符合表15.4.5的规定。

检查数量：全数检查。

检验方法：宜符合表15.4.5的规定。

表15.4.5 辊底式加热炉炉辊安装允许偏差

项次	项目	允许偏差(mm)		检验方法
		Ⅰ级	Ⅱ级	
1	标高	±0.50	±1.00	用水准仪检查
2	纵向中心线	1.0	1.5	拉钢丝线、吊线锤、用钢尺检查
3	横向中心线	1.0	1.5	拉钢丝线、吊线锤、用钢尺检查
4	辊子轴向水平度	0.15/1000	0.20/1000	用水平仪检查
5	辊子间辊面高低差	±0.20	±0.30	用平尺、水平仪、塞尺或水准仪检查
6	辊子相对机组纵向中心线的垂直度	0.10/1000	0.15/1000	拉钢丝线、用摇臂、内径千分尺检查
7	相邻两辊子间的平行度	0.20/1000	0.30/1000	用内径千分尺检查
8	辊子平行度累计误差	每组不大于1.00	每组不大于1.00	吊线锤、用钢盘尺检查

15.5 试运转

15.5.1 步进式加热炉试运转应符合下列规定：

1 加热炉的装料端、出料端炉门往返运行不应少于5次，并应开闭正常，无卡阻现象；

2 加热炉步进系统在全炉长范围内连续运行不应少于5次，并应无卡阻、无爬行现象；

3 步进系统运行时，冷却水系统活动管道动作应灵活，无卡阻、无泄漏现象；

4 步进系统运行时，活动水梁的立柱与炉底结构及耐材应无碰磨现象，水封槽应工作正常。

检验方法:观察检查,检查试运转记录。

15.5.2 环形加热炉试运转应符合下列规定:

1 装料端、出料端炉门往返运行不应少于5次,并应开闭正常,无卡阻现象;

2 台车连续运行不应少于5周,并应与支承辊、定心辊接触正常,无卡阻、无爬行现象。

检验方法:观察检查,检查试运转记录。

15.5.3 连续退火炉试运转应符合下列规定:

1 电动机驱动的辊子单体无负荷试运转连续运行不应少于2h;

2 纠偏辊的液压系统工作应正常,对中功能应正常;

3 水冷辊应无漏水现象。

检验方法:观察检查,检查试运转记录。

15.5.4 辊底式加热炉试运转应符合下列规定:

1 加热炉的进料端、出料端炉门往返运行不应少于5次,并应开闭正常,无卡阻现象;

2 辊子单体无负荷试运转连续运行不应少于2h;

3 炉辊在运转中应无漏水现象。

检验方法:观察检查,检查试运转记录。

16 辅助设备

16.1 锯 机

一般项目

16.1.1 联轴器装配的两轴心径向位移、两轴线倾斜和联轴器的两端面间隙值应符合设计文件的要求，设计无要求时应符合现行国家标准《机械设备安装工程施工及验收通用规范》GB 50231 的有关规定。

检查数量：全数检查。

检验方法：检查安装质量记录，用百分表和塞尺检查。

16.1.2 移动式锯机安装允许偏差应符合表 16.1.2 的规定。

检查数量：全数检查。

检验方法：宜符合表 16.1.2 的规定。

表 16.1.2 移动式锯机安装允许偏差

项次	项　　目	允许偏差（mm）	检验方法
1	轨顶面标高	±1.00	用水准仪检查
2	两轨顶面全长内高低差	±1.00	用水准仪检查
3	轨顶面水平度（沿轨长方向）	0.50/ 1000	用水平仪或水准仪检查
4	两轨顶面横向水平度	0.50/1000	用平尺和水平仪检查
5	轨道相对轧制中心线	1.0	拉钢丝线、吊线锤、用钢尺检查
6	轨距	1.0	用钢尺检查
7	辊道侧（基准轨）轨道直线度	0.20/1000 全长不大于 0.50	拉钢丝线、用钢尺检查

续表 16.1.2

项次	项　　目	允许偏差(mm)	检验方法
8	轨道横向中心线	2.0	拉钢丝线、吊线锤、用钢尺检查
9	齿条中心线	1.0	拉钢丝线、吊线锤、用钢尺检查
10	齿条的标高	±1.00	用水准仪检查
11	齿条的水平度	0.30/1000	用水平仪检查
12	夹紧装置纵向中心线	2.0	拉钢丝线、吊线锤、用钢尺检查
13	夹紧装置横向中心线	2.0	拉钢丝线、吊线锤、用钢尺检查
14	夹紧装置液压缸座标高	±1.00	用水准仪检查
15	夹紧装置液压缸座水平度	0.30/1000	用水平仪检查

16.1.3 固定式锯机安装允许偏差应符合表 16.1.3 的规定。

检查数量:全数检查。

检验方法:宜符合表 16.1.3 的规定。

表 16.1.3 固定式锯机安装允许偏差

项次	项　　目	允许偏差(mm)	检验方法
1	支承辊顶面标高	±1.00	用水准仪检查
2	支承辊纵向中心线	1.0	拉钢丝线、吊线锤、用钢尺检查
3	支承辊横向中心线	1.0	拉钢丝线、吊线锤、用钢尺检查
4	支承辊间水平度(纵向、横向)	0.20/1000	用水平仪检查

16.1.4 立式锯机安装允许偏差应符合表 16.1.4 的规定。

检查数量:全数检查。

检验方法:宜符合表 16.1.4 的规定。

表 16.1.4 立式锯机安装允许偏差

项次	项　目	允许偏差(mm)	检验方法
1	标高	±1.00	用水准仪检查
2	纵向中心线	1.0	拉钢丝线、吊线锤、用钢尺检查
3	横向中心线	1.0	拉钢丝线、吊线锤、用钢尺检查
4	水平度(纵向、横向)	0.10/1000	用水平仪检查

16.2 定 尺 机

一 般 项 目

16.2.1 联轴器装配的两轴心径向位移、两轴线倾斜和联轴器的两端面间隙值应符合设计文件的要求，设计无要求时应符合现行国家标准《机械设备安装工程施工及验收通用规范》GB 50231 的有关规定。

检查数量：全数检查。

检验方法：检查安装质量记录，用百分表和塞尺检查。

16.2.2 方圆坯、管材固定式及移动式定尺机安装允许偏差应符合表 16.2.2 的规定。

检查数量：全数检查。

检验方法：宜符合表 16.2.2 的规定。

表 16.2.2 方圆坯、管材固定式及移动式定尺机安装允许偏差

项次	项　目	允许偏差(mm)	检验方法
1	定尺机移动轨道纵向中心线	1.0	拉钢丝线、吊线锤、用钢尺检查
2	定尺机移动轨道横向中心线	1.0	拉钢丝线、吊线锤、用钢尺检查
3	轨道顶面标高	±1.00	用水准仪检查

续表 16.2.2

项次	项目	允许偏差(mm)	检验方法
4	轨道顶面水平度	0.20/1000	用水平仪检查
5	轨距	1.0	用钢尺检查
6	传动齿条的标高	±1.00	用水准仪检查
7	传动齿条的水平度	0.30/1000	用水平仪检查

16.2.3 板坯切断定尺机安装允许偏差应符合表 16.2.3 的规定。

检查数量:全数检查。

检验方法:宜符合表 16.2.3 的规定。

表 16.2.3 板坯切断定尺机安装允许偏差

项次	项目	允许偏差(mm)	检验方法
1	纵向中心线	1.0	拉钢丝线、吊线锤、用钢尺检查
2	横向中心线	2.0	拉钢丝线、吊线锤、用钢尺检查
3	机架上承载梁的标高	±1.00	用水准仪检查
4	机架顶面的水平度	0.10/1000	用水平仪检查

16.3 打 印 机

一 般 项 目

16.3.1 高架式打印机安装允许偏差应符合表 16.3.1 的规定。

检查数量:全数检查。

检验方法:宜符合表 16.3.1 的规定。

表 16.3.1　高架式打印机安装允许偏差

项次	项目		允许偏差(mm)	检验方法
1	机架	纵向中心线	1.5	拉钢丝线、吊线锤、用钢尺检查
		横向中心线	1.5	拉钢丝线、吊线锤、用钢尺检查
		轨道顶面标高	±1.00	用水准仪检查
		轨道顶面四角处高低差	±2.00	用水准仪检查
		立柱垂直度	1.0/1000	吊线锤、用钢尺检查
		轨距	0～2.0	用钢尺检查
2	升降传动轴同轴度		0.30	拉钢丝线、用内径千分尺检查
3	升降减速机水平度		0.20/1000	用水平仪检查

16.3.2 落地式固定打印机安装允许偏差应符合表 16.3.2 的规定。

检查数量:全数检查。

检验方法:宜符合表 16.3.2 的规定。

表 16.3.2　落地式固定打印机安装的允许偏差

项次	项目	允许偏差(mm)	检验方法
1	纵向中心线	1.5	拉钢丝线、吊线锤、用钢尺检查
2	横向中心线	1.5	拉钢丝线、吊线锤、用钢尺检查
3	标高	±1.00	用水准仪检查
4	水平度	0.20/1000	用水平仪检查

16.3.3 打印机夹紧装置安装允许偏差应符合表 16.3.3 的规定。

检查数量:全数检查。

检验方法:宜符合表 16.3.3 的规定。

表 16.3.3　打印机夹紧装置安装允许偏差

项次	项　　目	允许偏差(mm)	检验方法
1	框架中心线	2.0	拉钢丝线、吊线锤、用钢尺检查
2	框架上平面标高	±1.00	用水准仪检查
3	夹紧滑道梁中心线	2.0	拉钢丝线、吊线锤、用钢尺检查
4	夹紧滑道梁标高	±1.00	用水准仪检查
5	夹紧滑道梁水平度	0.30/1000	用水平仪检查
6	液压缸中心线	1.0	拉钢丝线、吊线锤、用钢尺检查
7	液压缸座标高	±1.00	用水准仪检查
8	液压缸座水平度	0.30/1000	用水平仪检查

16.4　称　量　机

Ⅰ　主控项目

16.4.1　称重部分的刀刃与刃座应无损伤、接触面应干净，并应涂有润滑脂，按记号对中，不应偏离。电子称量机的称重传感器外表面应无损伤。

检查数量：全数检查。

检验方法：观察检查。

Ⅱ　一般项目

16.4.2　板坯称量机安装允许偏差应符合表 16.4.2 的规定。

检查数量：全数检查。

检验方法：宜符合表 16.4.2 的规定。

表 16.4.2　板坯称量机安装允许偏差

项次	项　　目	允许偏差(mm)	检验方法
1	传感器座纵向中心线	2.0	拉钢丝线、吊线锤、用钢尺检查

续表 16.4.2

项次	项目	允许偏差(mm)	检验方法
2	传感器座横向中心线	2.0	拉钢丝线、吊线锤、用钢尺检查
3	传感器座标高	±1.00	用平尺、水平仪、块规、塞尺检查
4	传感器座水平度(纵向、横向)	0.20/1000	用水平仪检查
5	支承结构纵向中心线	2.0	拉钢丝线、吊线锤、用钢尺检查
6	支承结构横向中心线	2.0	拉钢丝线、吊线锤、用钢尺检查
7	板坯承台标高	±1.00	用水准仪检查

16.4.3 钢锭称量机安装允许偏差应符合表 16.4.3 的规定。

检查数量:全数检查。

检验方法:宜符合表 16.4.3 的规定。

表 16.4.3 钢锭称量机安装允许偏差

项次	项目		允许偏差(mm)	检验方法
1	称重台架结构	平面度	5.00	用水准仪检查
		对角线	5.0	用钢尺检查
		标高	±2.00	用水准仪检查
		纵向中心线	5.0	拉钢丝线、吊线锤、用钢尺检查
		横向中心线	5.0	拉钢丝线、吊线锤、用钢尺检查
2	支点台座水平度		0.30/1000	用水平仪检查
3	升降吊架纵向中心线		10.0	拉钢丝线、吊线锤、用钢尺检查
4	升降吊架横向中心线		10.0	拉钢丝线、吊线锤、用钢尺检查
5	升降吊架与输送辊道间的间距		10.0	用钢尺检查

16.4.4 管材料筐电子称量机安装允许偏差应符合表 16.4.4 的规定。

检查数量:全数检查。

检验方法:宜符合表 16.4.4 的规定。

表 16.4.4 管材料筐电子称量机安装允许偏差

项次	项目	允许偏差(mm)	检验方法
1	料筐托架标高	±1.00	用水准仪检查
2	料筐托架纵向中心线	1.5	拉钢丝线、吊线锤、用钢尺检查
3	料筐托架横向中心线	1.5	拉钢丝线、吊线锤、用钢尺检查
4	称重传感器支承面水平度	0.20/1000	用水平仪检查
5	称重传感器上下支承面的间隙	四周 75%不入,局部允许 0.10 间隙	用 0.05mm 塞尺检查

16.4.5 钢卷电子称量机安装允许偏差应符合表 16.4.5 的规定。

检查数量:全数检查。

检验方法:宜符合表 16.4.5 的规定。

表 16.4.5 钢卷电子称量机安装允许偏差

项次	项目	允许偏差(mm)	检验方法
1	传感器座纵向中心线	1.0	拉钢丝线、吊线锤、用钢尺检查
2	传感器座横向中心线	1.0	拉钢丝线、吊线锤、用钢尺检查
3	传感器座标高(以已安设备为基准)	±0.50	用平尺、水平仪、块规、塞尺检查
4	传感器座水平度(纵向、横向)	0.20/1000	用水平仪检查
5	支承结构纵向中心线	2.0	拉钢丝线、吊线锤、用钢尺检查

续表 16.4.5

项次	项目	允许偏差(mm)	检验方法
6	支承结构横向中心线	2.0	拉钢丝线、吊线锤、用钢尺检查
7	支承结构顶部标高	±1.00	用水准仪检查
8	鞍座纵向中心线	1.0	拉钢丝线、吊线锤、用钢尺检查
9	鞍座横向中心线	1.0	拉钢丝线、吊线锤、用钢尺检查
10	鞍座标高(以已安设备为基准)	±1.00	用水准仪检查

16.5 打 捆 机

一 般 项 目

16.5.1 打捆机小车与轨道或滑道间的间隙应符合设计文件的规定。

检查数量:全数检查。

检验方法:检查安装质量记录,用塞尺检查。

16.5.2 打捆机安装允许偏差应符合表 16.5.2 的规定。

检查数量:全数检查。

检验方法:宜符合表 16.5.2 的规定。

表 16.5.2 打捆机安装允许偏差

项次	项目		允许偏差(mm)	检验方法
1	移动式带卷打捆机	轨道纵向中心线	1.5	拉钢丝线、吊线锤、用钢尺检查
		轨道横向中心线	1.5	拉钢丝线、吊线锤、用钢尺检查
		轨面标高	±1.50	用水准仪检查
		轨面水平度(纵向、横向)	0.15/1000 全长不大于 0.30	用平尺和水平仪检查

续表 16.5.2

项次	项目		允许偏差(mm)	检验方法
2	固定架式带卷打捆机	纵向中心线	2.0	拉钢丝线、吊线锤、用钢尺检查
		横向中心线	2.0	拉钢丝线、吊线锤、用钢尺检查
		标高	±2.00	用水准仪检查

16.6 抛 丸 机

一 般 项 目

16.6.1 托辊小车轨道安装允许偏差应符合表 16.6.1 的规定。

检查数量:全数检查。

检验方法:宜符合表 16.6.1 的规定。

表 16.6.1 托辊小车轨道安装允许偏差

项次	项目	允许偏差(mm)	检验方法
1	标高	±0.50	用水准仪检查
2	纵向中心线	0.5	拉钢丝线、吊线锤、用钢尺检查
3	横向中心线	0.5	拉钢丝线、吊线锤、用钢尺检查
4	轨道水平度	0.20/1000	水平仪检查

16.6.2 抛丸机安装允许偏差应符合表 16.6.2 的规定。

检查数量:全数检查。

检验方法:宜符合表 16.6.2 的规定。

表 16.6.2 抛丸机安装允许偏差

项次	项目	允许偏差(mm)	检验方法
1	标高	±1.00	用水准仪检查
2	纵向中心线	1.0	拉钢丝线、吊线锤、用钢尺检查
3	横向中心线	1.0	拉钢丝线、吊线锤、用钢尺检查

16.7 酸洗设备

一般项目

16.7.1 酸洗槽、漂洗槽、清洗槽槽体安装允许偏差应符合表16.7.1的规定。

检查数量：全数检查。

检验方法：宜符合表16.7.1的规定。

表16.7.1 酸洗槽、漂洗槽、清洗槽槽体安装允许偏差

项次	项目	允许偏差（mm）	检验方法
1	纵向中心线	2.0	拉钢丝线、吊线锤、用钢尺检查
2	横向中心线	2.0	拉钢丝线、吊线锤、用钢尺检查
3	标高	±2.00	用水准仪检查

16.7.2 槽盖揭盖装置安装允许偏差应符合表16.7.2的规定。

检查数量：全数检查。

检验方法：宜符合表16.7.2的规定。

表16.7.2 槽盖揭盖装置安装允许偏差

项次	项目	允许偏差（mm）	检验方法
1	纵向中心线	2.0	拉钢丝线、吊线锤、用钢尺检查
2	横向中心线	2.0	拉钢丝线、吊线锤、用钢尺检查
3	标高	±2.00	用水准仪检查

16.7.3 挤干辊安装允许偏差应符合本规范第8.4.4条的规定。

16.7.4 挤干辊换辊装置轨道安装允许偏差应符合表16.7.4的规定。

检查数量：全数检查。

检验方法：宜符合表16.7.4的规定。

表 16.7.4 挤干辊换辊装置轨道安装允许偏差

项次	项目	允许偏差（mm）	检验方法
1	钢轨中心线	0.5	拉钢丝线、吊线锤、用钢尺检查
2	钢轨标高	±1.00	用水准仪检查
3	两钢轨轨距	1.0	用钢尺检查

16.8 定宽压力机

Ⅰ 主控项目

16.8.1 定宽压力机上机架与立柱的联结螺栓的紧固力应符合设计文件的规定。

检查数量：全数检查。

检验方法：检查螺栓紧固记录。

Ⅱ 一般项目

16.8.2 联轴器装配的两轴心径向位移、两轴线倾斜和联轴器的两端面间隙值应符合设计文件的要求，设计无要求时应符合现行国家标准《机械设备安装工程施工及验收通用规范》GB 50231 的有关规定。

检查数量：全数检查。

检验方法：检查安装质量记录，用百分表和塞尺检查。

16.8.3 定宽压力机底座安装允许偏差应符合表 16.8.3 的规定。

检查数量：全数检查。

检验方法：宜符合表 16.8.3 的规定。

表 16.8.3 定宽压力机底座安装允许偏差

项次	项目	允许偏差（mm）	检验方法
1	横向中心线	0.5	拉钢丝线、吊线锤、用钢尺检查
2	纵向中心线	0.5	拉钢丝线、吊线锤、用钢尺检查

续表 16.8.3

项次	项目		允许偏差（mm）	检验方法
3	标高		±0.30	用水准仪检查
4	水平度	单个底座	0.10/1000	用水平仪检查
		相邻底座间	0.10/1000	用平尺和水平仪检查

16.8.4 定宽压力机机架安装允许偏差应符合表 16.8.4 的规定。

检查数量:全数检查。

检验方法:宜符合表 16.8.4 的规定。

表 16.8.4 定宽压力机机架安装允许偏差

项次	项目	允许偏差（mm）	检验方法
1	标高	±0.30	用水准仪检查
2	两机架间的平行度	0.10/1000	用内径千分尺检查
3	水平度	0.10/1000	用水平仪检查
4	机架与底座、机架与框架、机架与横梁间的间隙	四周 75%不入,局部允许 0.10 间隙	用 0.05mm 塞尺检查

16.8.5 定宽压力机曲轴安装允许偏差应符合表 16.8.5 的规定。

检查数量:全数检查。

检验方法:宜符合表 16.8.5 的规定。

表 16.8.5 定宽压力机曲轴安装允许偏差

项次	项目	允许偏差（mm）	检验方法
1	滑块与曲轴装置间的间隙	四周 75%不入,局部允许 0.10 间隙	用 0.05mm 塞尺检查

续表 16.8.5

项次	项目		允许偏差(mm)	检验方法
2	垂直度	曲轴连杆前端面	0.10/1000	吊线锤、用内径千分尺检查
		曲轴装置和滑座后端面间	0.10/1000	吊线锤、用内径千分尺检查

16.8.6 定宽压力机主传动装置安装允许偏差应符合表 16.8.6 的规定。

检查数量:全数检查。

检验方法:宜符合表 16.8.6 的规定。

表 16.8.6 定宽压力机主传动装置安装允许偏差

项次	项目	允许偏差(mm)	检验方法
1	标高	±0.50	用水准仪检查
2	横向中心线	0.5	拉钢丝线、吊线锤、用钢尺检查
3	纵向中心线	0.5	拉钢丝线、吊线锤、用钢尺检查
4	水平度	0.05/1000	用水平仪检查

16.9 试运转

16.9.1 锯机试运转应符合下列规定:

1 固定或移动式的锯机试运转,其锯片送进装置、材料夹紧装置、锯罩开启装置、夹轨装置和锯片回转装置等部件,在全行程或回转范围内往返运行均不应少于 5 次,锯片回转不应少于 2h;

2 移动式热锯机的走行机构,在全行程内往返运行不应少于 5 次。齿条齿轮传动应平稳,并应无卡轨现象。夹钳器动作应灵活,紧固应可靠;

3 圆盘锯的试运转,其锯片送进装置、材料夹紧装置、夹紧钳中心位置调整装置、锯片回转传动装置、喷淋冷却装置等部件，在全行程或回转范围内往返运行均不应少于5次，锯片回转不应少于2h。各部件动作应无卡碰现象。

检验方法：观察检查，检查试运转记录。

16.9.2 定尺机试运转应符合下列规定：

1 定尺机的定尺挡头的走行装置（丝杠式或台车走行式）、定尺挡头的升降装置及台车定位夹紧装置等部件，在全行程或回转范围内往返运行均不应少于5次，各部件动作应无卡碰现象；

2 台车定位夹紧装置动作应灵活，紧固应可靠。

检验方法：观察检查，检查试运转记录。

16.9.3 打印机试运转应符合下列规定：

1 板坯、方圆坯打印机的走行机构、车体升降机构、活动轨道升降装置、打印头气动装置、防热罩开闭装置等部件，在全行程或回转范围内往返运行均不应少于5次。各部件动作应无卡碰现象；

2 落地锤击式、滚压式等固定打印机试运转，在全行程或回转范围内往返运行均不应少于5次，各部件动作应无卡碰现象；

3 打印机的附属设备、升降挡板和夹紧装置，在全行程内往返运行均不应少于5次。

检验方法：观察检查，检查试运转记录。

16.9.4 称量机试运转应符合下列规定：

1 钢锭、钢坯称量机的称盘（衡桥及料筐）、升降装置，在全行程内往返升降均不应少于5次，各部件动作应无卡碰现象，四台油缸升降应同步；

2 钢卷称量机的称量辊道或称量运输链，无负荷试运转不应少于2h，并应运转平稳。

检验方法：观察检查，检查试运转记录。

16.9.5 打捆机试运转应符合下列规定：

1 轨道式带卷打捆机的打捆小车走行机构、打捆头升降小车机构、摆动导槽装置、捆带开卷机、打捆头、捆带锁紧及切断机构等部件，应先手动、后电动，在全行程内往返运行均不应少于5次，各部件动作应无卡碰现象；

2 滑道式带卷打捆机的捆带输入装置移动机构、压紧辊、弯曲装置、摆动装置等部件，在全行程内往返运行均不应少于5次，各部件动作应无卡碰现象。

检验方法：观察检查，检查试运转记录。

16.9.6 抛丸机试运转应符合下列规定：

1 运辊小车要在设计行程内往返运行不应少于5次，运行应平稳、无卡阻；

2 物料运行通畅应无卡阻，设备运行应平稳。

检验方法：观察检查，检查试运转记录。

16.9.7 酸洗设备试运转应符合下列规定：

1 槽盖揭盖装置、挤干辊、入口夹送辊、出口夹送辊等部件，在全行程内往返运行均不应少于5次；

2 挤干辊换辊装置往返运行不应少于5次。

检验方法：观察检查，检查试运转记录。

16.9.8 定宽压力机试运转应符合下列规定：

1 传动电动机空载试运转不应少于0.5h；电动机带动减速机试运转不应少于0.5h；电动机带动减速机、齿轮机座试运转不应少于0.5h；电动机带动减速机、齿轮机座和轧机试运转，按额定转速的25%、50%、75%、100%分别试运转不应少于2h；

2 定宽压力机、入口夹送辊、出口夹送辊等部件，在全行程内往返运行均不应少于5次，各部件动作应无卡碰现象。

检验方法：观察检查，检查试运转记录。

17 安全和环保

17.1.1 从事轧机机械设备安装工程的施工单位应取得安全生产许可证。

17.1.2 施工单位应建立健全安全生产保证体系和环境保护体系。

17.1.3 轧机机械设备安装工程应建立健全安全生产责任制，制订完备的安全生产规章制度和操作规程。

17.1.4 施工单位应有经审批的临时用电施工组织设计，应当根据工程的特点制订相应的安全技术措施和安全专项方案。

17.1.5 从事安全管理的人员应持有相应的资格证书。

17.1.6 轧机机械设备安装前，施工单位的技术负责人应向有关人员进行安全技术交底，并经交底人、被交底人、专职安全员签字确认。

17.1.7 施工单位应为作业人员提供符合国家标准及行业标准要求的合格劳动保护用品，并培训和监督作业人员正确使用。

17.1.8 施工安全管理应符合现行国家标准《施工企业安全生产管理规范》GB 50656 的有关规定。

17.1.9 施工单位应对施工现场进行安全检查，制定安全管理措施。安全检查应符合现行行业标准《建筑施工安全检查标准》JGJ 59 的有关规定。

17.1.10 洞口、攀登、悬空操作、交叉作业及高空作业应符合现行行业标准《建筑施工高处作业安全技术规范》JGJ 80 的有关规定。

17.1.11 脚手架的搭拆应符合现行行业标准《建筑施工扣件式钢管脚手架安全技术规范》JGJ 130 和《建筑施工碗扣式钢管脚手架安全技术规范》JGJ 166 的有关规定。

17.1.12 起重机械的使用应符合现行行业标准《建筑施工起重吊装工程安全技术规范》JGJ 276 的有关规定。

17.1.13 施工现场的临时用电应符合现行行业标准《施工现场临时用电安全技术规范》JGJ 46 的有关规定。

17.1.14 施工现场应采取防火措施，临时建筑防火、在建工程防火、临时消防设施及防火管理应符合现行国家标准《建设工程施工现场消防安全技术规范》GB 50720 的有关规定。

17.1.15 施工现场应有专业人员负责安装、维护和管理用电设备和线路。

17.1.16 吊装区域应设置安全警戒线，非作业人员禁止入内。

17.1.17 大件设备的运输道路和放置场地、吊车站位区域应满足承载要求。

17.1.18 高空焊接和气割作业时，应设监护人监护，清除作业区域内的危险易燃物，并应采取防火措施。

17.1.19 油漆、油品应设专用场所妥善保管，涂装及使用人员应配备防护用品。现场油漆涂装施工时，应采取防污染措施。

17.1.20 管道系统压力试验及吹扫应设置禁区，充气时应缓慢逐级升压，升压过程中设专人监视压力表和开闭气源阀门，当发现异常时，应及时卸压处理，不得带压补漏与紧固螺栓，管道系统卸压、吹扫排气应朝向无人区，不得对着设备、人员、道路和出入口。

17.1.21 设备试运转前，应对场地进行全面的安全检查，参加试运转的人员应穿戴安全防护装备。

17.1.22 试运转区域应设置安全标志和警戒标志。试车过程中严禁吸烟和明火作业，不得随意操作开关、阀门等控制件，当发现问题时，应停机后再进行处理。

17.1.23 易燃材料的衬里结构和管道实施焊接作业时，应采取防火措施。

17.1.24 施工期间应控制和降低施工机械和运输车辆造成的噪声污染，合理安排施工时间，减少对周边环境的影响。

17.1.25 不得在施工现场焚烧会产生有毒有害气体、烟尘、臭气的物质，施工区域应保持清洁。

17.1.26 工程废水、废料、废酸及废油应分类存放，集中运至当地环保部门指定的地点进行处理。

附录A 轧机机械设备工程安装分项工程质量验收记录

表A ________________分项工程质量验收记录

单位工程名称				分部工程名称	
施工单位				项目经理	
监理单位				总监理工程师	
分包单位				分包项目经理	
标准名称及编号					
检查项目			质量验收规范规定	施工单位检验结果	监理(建设)单位验收结果
主控项目	1				
	2				
	3				
	4				
	5				
一般项目	1				
	2				
	3				
	4				
	5				
	6				
	7				
	8				

续表 A

<table>
<tr><td colspan="3">检查项目</td><td>质量验收
规范规定</td><td colspan="2">施工单位检验结果</td><td>监理(建设)单位
验收结果</td></tr>
<tr><td rowspan="14">一般项目</td><td>9</td><td></td><td></td><td colspan="2"></td><td></td></tr>
<tr><td>10</td><td></td><td></td><td colspan="2"></td><td></td></tr>
<tr><td>11</td><td></td><td></td><td colspan="2"></td><td></td></tr>
<tr><td>12</td><td></td><td></td><td colspan="2"></td><td></td></tr>
<tr><td>13</td><td></td><td></td><td colspan="2"></td><td></td></tr>
<tr><td>14</td><td></td><td></td><td colspan="2"></td><td></td></tr>
<tr><td>15</td><td></td><td></td><td colspan="2"></td><td></td></tr>
<tr><td>16</td><td></td><td></td><td colspan="2"></td><td></td></tr>
<tr><td>17</td><td></td><td></td><td colspan="2"></td><td></td></tr>
<tr><td>18</td><td></td><td></td><td colspan="2"></td><td></td></tr>
<tr><td>19</td><td></td><td></td><td colspan="2"></td><td></td></tr>
<tr><td>20</td><td></td><td></td><td colspan="2"></td><td></td></tr>
<tr><td></td><td></td><td></td><td colspan="2"></td><td></td></tr>
<tr><td></td><td></td><td></td><td colspan="2"></td><td></td></tr>
<tr><td colspan="2">施工单位检验
评定结果</td><td colspan="2"></td><td>专业技术负责人:
(工长)

年　月　日</td><td colspan="2">质量检查员:

年　月　日</td></tr>
<tr><td colspan="2">监理(建设)
单位验收结论</td><td colspan="2"></td><td colspan="3">监理工程师:
(建设单位项目技术负责人)

年　月　日</td></tr>
</table>

附录B 轧机机械设备工程安装分部工程质量验收记录

表B ________________分部工程质量验收记录

<table>
<tr><td colspan="2">单位工程名称</td><td colspan="3"></td></tr>
<tr><td colspan="2">施工单位</td><td></td><td>分包单位</td><td></td></tr>
<tr><td>序号</td><td>分项工程名称</td><td>施工单位检查评定</td><td colspan="2">监理(建设)单位验收意见</td></tr>
<tr><td>1</td><td></td><td></td><td colspan="2" rowspan="17"></td></tr>
<tr><td>2</td><td></td><td></td></tr>
<tr><td>3</td><td></td><td></td></tr>
<tr><td>4</td><td></td><td></td></tr>
<tr><td>5</td><td></td><td></td></tr>
<tr><td>6</td><td></td><td></td></tr>
<tr><td>7</td><td></td><td></td></tr>
<tr><td>8</td><td></td><td></td></tr>
<tr><td>9</td><td></td><td></td></tr>
<tr><td>10</td><td></td><td></td></tr>
<tr><td>11</td><td></td><td></td></tr>
<tr><td>12</td><td></td><td></td></tr>
<tr><td>13</td><td></td><td></td></tr>
<tr><td>14</td><td></td><td></td></tr>
<tr><td>15</td><td></td><td></td></tr>
<tr><td>16</td><td></td><td></td></tr>
<tr><td>17</td><td></td><td></td></tr>
</table>

续表 B

<table>
<tr><th>序号</th><th>分项工程名称</th><th>施工单位检查评定</th><th>监理(建设)单位验收意见</th></tr>
<tr><td>18</td><td></td><td></td><td rowspan="7"></td></tr>
<tr><td>19</td><td></td><td></td></tr>
<tr><td>20</td><td></td><td></td></tr>
<tr><td></td><td></td><td></td></tr>
<tr><td></td><td></td><td></td></tr>
<tr><td></td><td></td><td></td></tr>
<tr><td></td><td></td><td></td></tr>
<tr><td colspan="2">设备单体无负荷联动试车</td><td></td><td></td></tr>
<tr><td colspan="2">质量控制资料</td><td></td><td></td></tr>
</table>

<table>
<tr><td rowspan="3">验收单位</td><td>施工单位</td><td>项目经理：
年　月　日</td><td>项目技术负责人：
年　月　日</td><td>项目质量负责人：
年　月　日</td></tr>
<tr><td>分包单位</td><td>项目经理：
年　月　日</td><td>项目技术负责人：
年　月　日</td><td>项目质量负责人：
年　月　日</td></tr>
<tr><td>监理（建设）单位</td><td colspan="3">总监理工程师：
（建设单位项目技术负责人）
年　月　日</td></tr>
</table>

附录C 轧机机械设备工程安装单位工程质量验收记录

C.0.1 轧机机械设备工程安装单位工程质量竣工验收应按表C.0.1进行记录。

表C.0.1 单位工程质量竣工验收记录

<table>
<tr><td colspan="2">单位工程名称</td><td colspan="6"></td></tr>
<tr><td colspan="2">施工单位</td><td></td><td>技术负责人</td><td></td><td>开工日期</td><td colspan="2"></td></tr>
<tr><td colspan="2">项目经理</td><td></td><td>项目技术负责人</td><td></td><td>交工日期</td><td colspan="2"></td></tr>
<tr><td>序号</td><td>项目</td><td colspan="3">验收记录</td><td colspan="3">验收结论</td></tr>
<tr><td>1</td><td>分部工程</td><td colspan="3">共　分部，经查　分部
符合标准及设计要求　分部</td><td colspan="3"></td></tr>
<tr><td>2</td><td>质量控制资料</td><td colspan="3">共　项，经审查符合要求　项</td><td colspan="3"></td></tr>
<tr><td>3</td><td>观感质量</td><td colspan="3">共抽查　项，符合要求　项，
不符合要求　项</td><td colspan="3"></td></tr>
<tr><td>4</td><td>综合验收结论</td><td colspan="6"></td></tr>
<tr><td rowspan="2">参加验收单位</td><td colspan="2">建设单位</td><td colspan="2">监理单位</td><td colspan="2">施工单位</td><td>设计单位</td></tr>
<tr><td colspan="2">（公章）

项目负责人：
年　月　日</td><td colspan="2">（公章）

总监理工程师：
年　月　日</td><td colspan="2">（公章）

项目负责人：
年　月　日</td><td>（公章）

项目负责人：
年　月　日</td></tr>
</table>

C.0.2 轧机机械设备工程安装单位工程质量控制资料应按表C.0.2进行记录。

表 C.0.2 单位工程质量控制资料核查记录

<table>
<tr><td>单位工程名称</td><td colspan="2"></td><td>施工单位</td><td></td></tr>
<tr><td>序号</td><td>资料名称</td><td>份数</td><td>核查意见</td><td>核查人</td></tr>
<tr><td>1</td><td>图纸会审</td><td></td><td></td><td></td></tr>
<tr><td>2</td><td>设计变更</td><td></td><td></td><td></td></tr>
<tr><td>3</td><td>竣工图</td><td></td><td></td><td></td></tr>
<tr><td>4</td><td>洽谈记录</td><td></td><td></td><td></td></tr>
<tr><td>5</td><td>设备基础中间交接记录</td><td></td><td></td><td></td></tr>
<tr><td>6</td><td>设备基础沉降记录</td><td></td><td></td><td></td></tr>
<tr><td>7</td><td>设备基准线、基准点测量记录</td><td></td><td></td><td></td></tr>
<tr><td>8</td><td>设备、构件、原材料质量合格证明文件</td><td></td><td></td><td></td></tr>
<tr><td>9</td><td>焊工合格证编号一览表</td><td></td><td></td><td></td></tr>
<tr><td>10</td><td>隐蔽工程验收记录</td><td></td><td></td><td></td></tr>
<tr><td>11</td><td>焊接质量检验记录</td><td></td><td></td><td></td></tr>
<tr><td>12</td><td>设备、管道吹扫、冲洗记录</td><td></td><td></td><td></td></tr>
<tr><td>13</td><td>设备、管道压力试验、严密性试验记录</td><td></td><td></td><td></td></tr>
<tr><td>14</td><td>通氧设备、管路脱脂记录</td><td></td><td></td><td></td></tr>
<tr><td>15</td><td>设备安全装置检测报告</td><td></td><td></td><td></td></tr>
<tr><td>16</td><td>设备无负荷试运转记录</td><td></td><td></td><td></td></tr>
<tr><td>17</td><td>分项工程质量验收记录</td><td></td><td></td><td></td></tr>
<tr><td>18</td><td>分部工程质量验收记录</td><td></td><td></td><td></td></tr>
<tr><td>19</td><td>单位工程观感质量检查记录</td><td></td><td></td><td></td></tr>
<tr><td>20</td><td>单位工程质量竣工验收记录</td><td></td><td></td><td></td></tr>
<tr><td>21</td><td>工程质量事故处理记录</td><td></td><td></td><td></td></tr>
<tr><td></td><td></td><td></td><td></td><td></td></tr>
<tr><td></td><td></td><td></td><td></td><td></td></tr>
<tr><td colspan="5">结论：
施工单位项目经理：　　　　　　　　总监理工程师：
（建设单位项目负责人）
年　月　日　　　　　　　　年　月　日</td></tr>
</table>

C.0.3 轧机机械设备工程安装单位工程观感质量验收应按表C.0.3进行记录。

表 C.0.3 单位工程观感质量验收记录

<table>
<tr><td colspan="2">单位工程名称</td><td colspan="5"></td><td colspan="2">施工单位</td><td colspan="5"></td></tr>
<tr><td rowspan="2">序号</td><td rowspan="2">项目</td><td colspan="10" rowspan="2">抽查质量状况</td><td colspan="2">质量评价</td></tr>
<tr><td>合格</td><td>不合格</td></tr>
<tr><td>1</td><td>螺栓连接</td><td></td><td></td><td></td><td></td><td></td><td></td><td></td><td></td><td></td><td></td><td></td><td></td></tr>
<tr><td>2</td><td>密封状态</td><td></td><td></td><td></td><td></td><td></td><td></td><td></td><td></td><td></td><td></td><td></td><td></td></tr>
<tr><td>3</td><td>管道敷设</td><td></td><td></td><td></td><td></td><td></td><td></td><td></td><td></td><td></td><td></td><td></td><td></td></tr>
<tr><td>4</td><td>隔声与绝热材料敷设</td><td></td><td></td><td></td><td></td><td></td><td></td><td></td><td></td><td></td><td></td><td></td><td></td></tr>
<tr><td>5</td><td>油漆涂刷</td><td></td><td></td><td></td><td></td><td></td><td></td><td></td><td></td><td></td><td></td><td></td><td></td></tr>
<tr><td>6</td><td>走台、梯子、护栏</td><td></td><td></td><td></td><td></td><td></td><td></td><td></td><td></td><td></td><td></td><td></td><td></td></tr>
<tr><td>7</td><td>焊缝</td><td></td><td></td><td></td><td></td><td></td><td></td><td></td><td></td><td></td><td></td><td></td><td></td></tr>
<tr><td>8</td><td>切口</td><td></td><td></td><td></td><td></td><td></td><td></td><td></td><td></td><td></td><td></td><td></td><td></td></tr>
<tr><td>9</td><td>成品保护</td><td></td><td></td><td></td><td></td><td></td><td></td><td></td><td></td><td></td><td></td><td></td><td></td></tr>
<tr><td>10</td><td>文明施工</td><td></td><td></td><td></td><td></td><td></td><td></td><td></td><td></td><td></td><td></td><td></td><td></td></tr>
<tr><td></td><td></td><td></td><td></td><td></td><td></td><td></td><td></td><td></td><td></td><td></td><td></td><td></td><td></td></tr>
<tr><td></td><td></td><td></td><td></td><td></td><td></td><td></td><td></td><td></td><td></td><td></td><td></td><td></td><td></td></tr>
<tr><td></td><td></td><td></td><td></td><td></td><td></td><td></td><td></td><td></td><td></td><td></td><td></td><td></td><td></td></tr>
<tr><td></td><td></td><td></td><td></td><td></td><td></td><td></td><td></td><td></td><td></td><td></td><td></td><td></td><td></td></tr>
<tr><td rowspan="2">观感质量综合评价</td><td colspan="3" rowspan="2"></td><td colspan="5">施工单位专业质量检查员：

年 月 日</td><td colspan="5">专业监理工程师：

年 月 日</td></tr>
<tr><td colspan="5">施工单位项目经理：

年 月 日</td><td colspan="5">总监理工程师：
（建设单位项目负责人）

年 月 日</td></tr>
</table>

注：质量评价为不合格的项目，应进行返修。

附录D 设备无负荷试运转记录

D.0.1 轧机机械设备单体无负荷试运转应按表D.0.1进行记录。

表D.0.1 轧机机械设备单体无负荷试运转记录

试运转日期　　年　　月　　日

<table>
<tr><td colspan="2">单位工程名称</td><td></td><td>分部工程名称</td><td></td><td>分项工程名称</td><td></td></tr>
<tr><td colspan="2">施工单位</td><td colspan="3"></td><td>项目经理</td><td></td></tr>
<tr><td colspan="2">监理单位</td><td colspan="3"></td><td>总监理工程师</td><td></td></tr>
<tr><td colspan="2">分包单位</td><td colspan="3"></td><td>分包项目经理</td><td></td></tr>
<tr><td>序号</td><td colspan="3">试运转检查项目</td><td colspan="2">试运转情况</td><td>试运转结果</td></tr>
<tr><td>1</td><td colspan="3"></td><td colspan="2"></td><td></td></tr>
<tr><td>2</td><td colspan="3"></td><td colspan="2"></td><td></td></tr>
<tr><td>3</td><td colspan="3"></td><td colspan="2"></td><td></td></tr>
<tr><td>4</td><td colspan="3"></td><td colspan="2"></td><td></td></tr>
<tr><td>5</td><td colspan="3"></td><td colspan="2"></td><td></td></tr>
<tr><td>6</td><td colspan="3"></td><td colspan="2"></td><td></td></tr>
<tr><td>7</td><td colspan="3"></td><td colspan="2"></td><td></td></tr>
<tr><td>8</td><td colspan="3"></td><td colspan="2"></td><td></td></tr>
<tr><td>9</td><td colspan="3"></td><td colspan="2"></td><td></td></tr>
<tr><td>10</td><td colspan="3"></td><td colspan="2"></td><td></td></tr>
<tr><td>11</td><td colspan="3"></td><td colspan="2"></td><td></td></tr>
<tr><td>12</td><td colspan="3"></td><td colspan="2"></td><td></td></tr>
<tr><td>13</td><td colspan="3"></td><td colspan="2"></td><td></td></tr>
<tr><td>14</td><td colspan="3"></td><td colspan="2"></td><td></td></tr>
<tr><td>15</td><td colspan="3"></td><td colspan="2"></td><td></td></tr>
<tr><td></td><td colspan="3"></td><td colspan="2"></td><td></td></tr>
<tr><td>评定意见</td><td colspan="6"></td></tr>
<tr><td colspan="3">质量检查员：

年　月　日</td><td colspan="2">技术负责人：

年　月　日</td><td colspan="2">项目经理：

年　月　日</td></tr>
<tr><td colspan="7">监理工程师：
（建设单位项目专业技术负责人）
年　月　日</td></tr>
</table>

D.0.2 轧机机械设备无负荷联动试运转应按表D.0.2进行记录。

表D.0.2 轧机机械设备无负荷联动试运转记录

试运转日期　　年　　月　　日

单位工程名称		分项工程名称	
施工单位		项目经理	
监理单位		总监理工程师	
分包单位		分包项目经理	
序号	试运转项目	试运转情况	试运转结果
1			
2			
3			
4			
5			
6			
7			
8			
9			
10			
评定意见			
质量检查员： 年　月　日	技术负责人： 年　月　日	项目经理： 年　月　日	
监理工程师： （建设单位项目专业技术负责人） 年　月　日			

本规范用词说明

1 为便于在执行本规范条文时区别对待，对要求严格程度不同的用词说明如下：

1）表示很严格，非这样做不可的：
正面词采用“必须”，反面词采用“严禁”；

2）表示严格，在正常情况下均应这样做的：
正面词采用“应”，反面词采用“不应”或“不得”；

3）表示允许稍有选择，在条件许可时首先应这样做的：
正面词采用“宜”，反面词采用“不宜”；

4）表示有选择，在一定条件下可以这样做的，采用“可”。

2 条文中指明应按其他有关标准执行的写法为：“应符合……的规定”或“应按……执行”。

引用标准名录

《机械设备安装工程施工及验收通用规范》GB 50231
《施工企业安全生产管理规范》GB 50656
《建设工程施工现场消防安全技术规范》GB 50720
《钢铁厂加热炉工程质量验收规范》GB 50825
《施工现场临时用电安全技术规范》JGJ 46
《建筑施工安全检查标准》JGJ 59
《建筑施工高处作业安全技术规范》JGJ 80
《建筑施工扣件式钢管脚手架安全技术规范》JGJ 130
《建筑施工碗扣式铜管脚手架安全技术规范》JGJ 166
《建筑施工起重吊装工程安全技术规范》JGJ 276

中华人民共和国国家标准

轧机机械设备工程安装验收规范

GB 50386 - 2016

条 文 说 明

修订说明

《轧机机械设备工程安装验收规范》GB 50386—2016，经住房和城乡建设部2016年8月18日以1274号公告批准发布。

本规范是在《轧机机械设备工程安装验收规范》GB 50386—2006的基础上修订而成，上一版的主编单位是中国第二十冶金建设公司，参编单位是冶金工业工程质量监督总站宝钢监督站、中国第一冶金建设公司、中国第十三冶金建设公司，主要起草人是王英俊、张岩洪、刘占恒、李长良、赵聪。

在本规范的修订过程中，修订组进行了广泛的调查研究，总结了我国轧机机械设备工程安装的实践经验，同时参考了有关国际标准和国外先进标准。

为便于广大设计、施工、科研、学校等单位有关人员在使用本规范时能正确理解和执行条文规定，《轧机机械设备工程安装验收规范》编制组按章、节、条顺序编制了本规范的条文说明，对条文规定的目的、依据以及执行中需注意的有关事项进行了说明，还着重对强制性条文的强制性理由作了解释。但是，本条文说明不具备与规范正文同等的法律效力，仅供使用者作为理解和把握规范规定的参考。

目　　次

1 总　　则

1.0.1　本条阐明了制定本规范的目的。

1.0.2　本条明确了本规范的适用范围。

1.0.3　轧机机械设备工程安装中除专业设备外，还有液压、润滑和气动设备、起重设备、连续运输设备、除尘设备、通用机械设备、各类介质管道制作安装、工艺钢结构制作安装、防腐、绝热等很多方面，因此，轧机机械设备工程安装验除应符合本规范的规定外，尚应符合国家现行有关标准的规定。

2 基本规定

2.0.2 本条明确规定，施工单位无权修改设计图纸，施工中发现的施工图纸问题，应及时与建设单位和设计单位联系，修改施工图纸应有设计单位的签署文件。

2.0.4 轧机机械设备工程安装中的特种作业人员，其操作或指挥关系到设备生产安全和人身安全，应经考试合格，取得相应的资质证书，方能在其考试合格项目认可范围内作业。

2.0.5 与轧机机械设备工程相关的专业很多，例如建筑专业、工业炉专业、电气专业等。各专业之间应按规定的程序进行交接检查，例如设备基础完工后交设备安装，设备安装完工后交工业炉砌筑，各专业之间交接时，应进行检验并形成记录。

2.0.6 轧机机械设备工程安装中的隐蔽工程主要是指设备的二次灌浆、变速箱或齿轮箱的封闭、大型轴承座的封闭等。二次灌浆是在设备安装完成并验收合格后，对基础和设备底座间进行灌浆，二次灌浆应符合设计文件和现行国家标准《机械设备安装工程施工及验收通用规范》GB 50231 的规定。

2.0.7 根据现行国家标准《工业安装工程质量检验评定统一标准》GB 50252 的规定，结合轧机机械设备工程的特点，本条给出了轧机机械设备工程安装分项工程、分部工程和单位工程划分的原则。本条对分项工程、分部工程和单位工程的划分是针对新建的轧机机械设备工程的，对于扩建或改建的轧机机械设备工程，可根据工程实际情况作适当调整。

分项工程：一般按设备的种类、台（套）、部件或施工工序划分。例如：轧机底座、机架、钢板剪切机、推钢机等。而如小型轧机、整体结构的轧机等，可作为一个分项工程，不必再分底座、机架两个分项工程。

分部工程:一般按设备所属的工艺系统或专业类别划分。例如:冷连轧机组入口段机械设备工程安装、冷连轧机组连轧区机械设备工程安装、冷连轧机组出口段机械设备工程安装等。轧机机械设备工程安装是一个综合性的工程,除上述工艺机械设备工程安装分部外,还有工业管道工程、工艺钢结构工程、工业设备及管道防腐蚀工程、工业设备及管道绝热工程、液压、气动系统工程、润滑系统工程等分部工程。

单位工程:由各专业工程构成的、具备独立工艺系统和使用功能的工程,均可划为单位工程。例如:冷连轧机组,连续退火机组,热连轧生产线,热连轧厂的平整机组等。大型机组也可分为入口段、工艺段、出口段等单位工程。例如:冷连轧机组入口段、冷连轧机组连轧区、冷连轧机组出口段等。

本条强调工程质量验收是在施工单位自检合格的基础上按分项工程、分部工程及单位工程进行验收。

冷轧厂的电镀、涂层、横剪、纵剪、重卷、拉伸矫直和热连轧热处理等机组,可按类似的分项分部工程套用。棒材、线材、型材、轨梁等工程,可参照类似结构套用。

2.0.8 分项工程是工程验收的最小单位,是整个工程质量验收的基础。分项工程质量检验的主控项目是保证工程安全和使用功能的决定性项目,应全部符合本规范的规定,不允许有不符合要求的检验结果;一般项目的检验也是重要的,其检验结果也应全部达到本规范的规定。

2.0.9 轧机机械设备安装精度等级划分依据:轧制产品精度的高低,安装误差对产品质量影响的大小,设备本身性能对安装精度要求的高低,设备制造精度的高低等。

2.0.10 设备试运转前,安全保护装置应按设计文件的规定完成安装,如联轴器的安全保护罩、制动器、限位保护装置等。在试运转中需要调试的装置,如制动器、限位保护装置等,应在试运转中完成调试,其功能应符合设计相关技术文件的规定。

2.0.11 分部工程验收是在分项工程均验收合格的基础上进行。构成分部工程的各分项工程均验收合格,质量控制资料完整,设备单体无负荷试运转合格,则分部工程验收合格。设备的安全防护设施齐全可靠和限位开关动作准确是设备正常运转的前提条件,关系到设备生产安全和人身安全。

2.0.12 单位工程的验收除构成单位工程的各分部工程均验收合格,质量控制资料完整,设备无负荷联动试运转合格外,还须由参加验收的各方人员共同进行观感质量检查。

2.0.13 观感质量验收往往难以定量,只能以观察、触摸或简单的量测方法,由个人的主观印象判断为合格、不合格的质量评价,不合格的检查点应进行返修处理。

2.0.16 若工程质量不符合要求,就不能保证安全和使用功能,甚至造成经济损失。

2.0.17 本条规定了工程质量验收的程序和组织。分项工程质量是工程质量的基础,验收前,在施工单位自检合格的基础上,填写"分项工程质量验收记录",并由项目专业质量检查员和项目专业技术负责人(工长)分别在分项工程质量检验记录中相关栏目签字,然后由建设单位专业技术负责人(监理工程师)组织验收。

分部工程应由建设单位项目负责人(总监理工程师)组织施工单位和监理、设计等有关单位项目负责人及技术负责人进行验收。

单位工程完成后,施工单位首先要依据质量标准、设计文件等,组织有关人员进行自检,并对检查结果进行评定,符合要求后向建设单位提交工程验收报告和完整的质量控制资料,请建设单位组织验收。建设单位项目负责人组织施工单位、监理单位、设计单位等项目负责人进行验收。

单位工程有分包单位施工时,总承包单位应按照承包合同的权利与义务对建设单位负责,分包单位对总承包单位负责,亦应对建设单位负责。分包单位对承建的项目进行检验时,总包单位应参加。检验合格后，分包单位应将工程的有关资料移交总包单位。在建设单位组织工程质量验收时，分包单位负责人应参加验收。

3 设备基础、地脚螺栓和垫板

3.1 一般规定

3.1.1 轧机机械设备的基础工程，由建筑单位施工，建筑单位应按现行国家有关标准验收后，向设备安装单位进行中间交接，未经验收和中间交接的设备基础，不得进行设备安装。

3.2 设备基础

3.2.2 设备安装前，应按施工图和测量控制网确定设备安装的基准线。所有设备安装的平面位置和标高均应以确定的安装基准线为准进行测量。主体设备(如轧机、剪切机、开卷机、卷取机等)和连续生产线应埋设永久中心标板及标高基准点，满足安装施工和维护检修的要求。

永久中心标板和标高基准点在工程竣工验收后，要移交工程接受单位供今后生产检修使用。因此要求采用铜材或不锈钢制造，设置要牢固并应予以保护。

3.2.4 本条规定的检查项目应在设备吊装前完成。

3.3 地脚螺栓

3.3.1 轧机机械设备的地脚螺栓，在设备生产运行时受冲击力，涉及设备的安全使用功能，因此将本条作为主控项目。设计文件明确规定了紧固力值的地脚螺栓，应按规定进行紧固，并做好紧固记录。

3.4 垫　　板

3.4.1 一般设备的垫板座浆可采用座浆法设置垫板，而高精度或重要设备可采用灌浆法设置垫板，因为灌浆法座浆具有施工速度快、更能保证座浆质量的优点。

4 设备和材料

4.1 一般规定

4.1.2 设备安装前,设备开箱检验是十分重要的。建设单位、监理单位、施工单位及制造单位等各方代表均应参加,并应形成开箱检验记录。检验内容主要有:箱号、设备名称、型号、规格、数量、表面质量、有无缺损件、随机文件、备品备件、专用工具、混装箱设备清点分类等。

4.2 设备和材料

4.2.1 设备必须有质量合格证明文件,进口设备应通过国家商检部门的查验,具有商检证明文件。以上文件为复印件时,应注明原件存放处,并有抄件人签字和单位盖章。

4.2.2 轧机机械设备工程安装中所涉及的材料、标准件等进场应进行验收。产品质量合格证明文件应全数检查,证明文件为复印件时,应注明原件存放处,并有抄件人签字和单位盖章。实物宜按1%比例且不应少于5件进行抽查,验收记录应包括材料规格、进场数量、用在何处、外观质量等内容。设计文件或现行国家有关标准要求复检的材料、标准件,应按规定进行复检。

5 轧机设备

5.1 底　　座

5.1.1 由于基础的不均匀沉降造成已验收合格的轧机底座和机架某些项目超差;轧机机架加工精度和底座安装精度的积累误差引起机架的某些项目超差;无法满足轧机机架安装精度时,可通过调整底座的方法满足机架的安装精度。施工单位通过检测认为有必要进行底座的二次调整时,事前要通报建设单位项目有关负责人和监理工程师,并经批准后方可实施。调整结果要报监理工程师确认并作为工程验收时的质量控制资料。

5.2 机　　架

5.2.6 关于轧机机架有关精度项目的计算方法和测量方法:

(1)轧机机架窗口垂直度、机架侧面垂直度、两机架窗口中心线的水平偏斜、机架窗口在水平方向扭斜、连轧机相邻两机架平行度等项目检查时宜在窗口衬板面上测量。

有关精度项目的计算方法如下:

1)机架窗口垂直度:$\frac{|a_1-a_2|}{L_1}$、$\frac{|a_3-a_4|}{L_3}$、$\frac{|a_1-a_3|}{|L_1+L_2|}$、$\frac{|a_1-a_4|}{L}$。

2)机架侧面垂直度:$\frac{|b_1-b_2|}{H_1}$、$\frac{|b_3-b_4|}{H_3}$、$\frac{|b_1-b_3|}{|H_1+H_2|}$、$\frac{|b_1-b_4|}{H}$或$\frac{|c_1-c_2|}{E_1}$、$\frac{|c_3-c_4|}{E_3}$、$\frac{|c_1-c_3|}{|E_1+E_2|}$、$\frac{|c_1-c_4|}{E}$。

3)单片机架窗口面在水平方向的扭斜:$\frac{|a-b|}{L_1}$、$\frac{|c-d|}{L_2}$。

4)同一轧机两机架窗口中心线的水平偏斜：$\dfrac{\left|\dfrac{a+b}{2}-\dfrac{c+d}{2}\right|}{L}$。

5)轧制中心线偏移：

入口侧偏移量：$\dfrac{E-e}{2}$，出口侧偏移量：$\dfrac{F-f}{2}$ （两侧偏移方向应一致）。

6)机列中心线偏移：

操作侧（或传动侧）：$\dfrac{\dfrac{A+B}{2}-\dfrac{a+b}{2}}{2}$，传动侧（或操作侧）：$\dfrac{\dfrac{C+D}{2}-\dfrac{c+d}{2}}{2}$（两侧偏移方向应一致）。

7) 连轧机相邻两机架平行度：$\dfrac{B_1-B_2}{L}$。

(2)本条中两机架窗口中心线的水平偏斜的测量方法是在机架窗口内挂一条与轧机机列中心线平行的钢丝线，用内径千分尺在测量点上量取钢丝线到窗口面的垂直距离，实际就是测量两机架窗口面相对轧机机列中心线的平行度。近年来，在引进技术中，对“两机架窗口中心线的水平偏斜”的测量，日方采用了一种新的方法。此法是将上述的测量“两机架窗口面相对轧机机列中心线的平行度”改为测量“两机架窗口面相对轧制中心垂直度”，施工中也可采用。具体方法如下：随机带来一套专用的测量辊，将测量辊安装在机架上，使辊面保持水平并与机架窗口面平行，然后在测量辊上安装摇臂，用摇臂和内径千分尺检查测量辊相对轧制中心线的垂直度。此法对测量辊本身的加工精度和安装精度要求都很高。

5.3 轧辊调整装置

5.3.1 对于整体到货且出厂前经过试运转验收合格的减速机、齿轮机座设备，业主或设计文件无要求的，可不做解体检查。二手设备经整修验收合格且附有整修记录的，安装时可不做解体检查。

本条说明同样适用于本规范其他章节中同类内容的条文。

5.4 传动装置

5.4.5 整体安装的主减速机纵向（主传动方向）水平度，宜在两端轴颈或在指定的基准面上测量，横向水平度宜在指定的基准面上测量；解体安装的主减速机纵横向水平度应在下机壳上平面（减速机剖分面）上测量。

6 剪　切　机

钢坯剪切机是指轧制线中对热钢坯进行定尺切断及切头切尾剪切的机械式热剪切机，其他非机械式剪切机不适用；钢板剪切机是指热轧主工艺线或各类钢板剪切、精整生产线上，对热轧钢板进行纵横向切边、切头切尾、定尺切断等剪切的各种剪切机；带钢剪切机是指冷轧主工艺线或各类冷轧板处理线上，对冷轧带钢进行纵横向切边、切头切尾、定尺切断等剪切的各种剪切机。

6.2　钢坯剪切机

6.2.3　上剪式剪切机的水平度应以机体上上刃架滑板面为基准，中心线应以机体上上刃架端部滑板中心线为基准；浮动偏心轴剪切机的标高应以安装偏移辊道滑座平面为基准，水平度应以窗口滑板为基准，中心线应以窗口中心为基准。

7 开卷机和卷取机

7.1 开 卷 机

7.1.3 Ⅰ级精度适用于开卷速度不小于10m/s的开卷机，Ⅱ级精度适用于开卷速度小于10m/s的开卷机；开卷机主机若为移动式的结构形式时，安装定位应以底座（或底座滑道）为基准，并在卷筒上进行复核。

7.2 卷 取 机

7.2.4 Ⅰ级精度适用于卷取速度不小于10m/s的卷取机，Ⅱ级精度适用于卷取速度小于10m/s的卷取机；卷取机主机若为移动式的结构形式时，安装定位应以底座（或底座滑道）为基准，并在卷筒上进行复核。

7.4 辅助设备

7.4.2 外置轴承架的定位应以卷筒为基准。

7.5 试 运 转

7.5.1 本条为强制性条文。为防止试运转时卷筒扇形块飞出，造成设备损坏及发生人身安全事故，故在卷筒运转前，必须将制造厂提供与卷筒相匹配的安全套筒套在卷筒上，并将卷筒涨开与安全套筒紧密接触，而后将卷筒的外置轴承架顶起，使卷筒的外置轴承架处于工作位置，防止卷筒在旋转时将安全套筒脱落。

8 辊　　道

8.1 集中传动辊道

8.1.3 Ⅰ级精度适用于轧机前后工作辊道及有导向装置的辊道，Ⅱ级精度适用于一般运输辊道。

8.2 单独传动辊道

8.2.2 Ⅰ级精度适用于板材运输辊道，Ⅱ级精度适用于钢锭、钢坯、方圆坯、钢管、线材、棒材运输辊道。

8.4 特殊辊道

本节适用于带材轧制工艺线上的控制辊、跳动辊、转向辊、张紧辊、夹送辊、压紧辊、刮酸辊及挤干辊等工程的安装验收。

8.4.3 Ⅰ级精度适用于带钢运行速度不小于 10m/s 的机组，Ⅱ级精度适用于带钢运行速度小于 10m/s 的机组。

9 冷　　床

9.1 步进式齿条冷床

9.1.5 Ⅰ级精度适用于方圆坯、芯棒、钢管步进式齿条冷床，Ⅱ级精度适用于棒材步进式齿条冷床。

10 运输设备

10.2 链式运输机

本节适用于带钢厂鞍座型、平顶型、托架型钢卷链式运输机工程的安装验收。

10.3 双链刮板式运输机

本节适用于方圆坯、板坯的切头运输机(链带宽度为600mm～1400mm)工程的安装验收。

10.4 螺旋运输机

本节适用于热管材的横向移送运输机工程的安装验收。相似结构的管材螺旋输送冷床可参照执行。

11 移送和翻转设备

11.1 推　　床

本节适用于钢锭(坯)平移和翻转推床工程的安装验收。齿条传动的侧导板可参照执行。

11.1.4 安装齿轮箱机壳时应按设计文件要求保证小齿轮中心线与推杆中心线的相关尺寸,机壳定位应以轧机前、后辊道支座上的推杆支承辊中心线为基准。

11.2 推钢机和出钢机

本节适用于板坯、方坯、圆坯轧材推送的齿条推进式或四连杆推进式推钢机、长行程装钢机及板坯加热炉齿条式出钢机工程的安装验收。

11.3 长型材横向取/送装置

本节适用于方圆坯、管材的横向取出和送出装置工程的安装验收。

11.4 翻　转　机

本节适用于板坯、方坯、钢板、钢管及钢卷和部分设备翻转的翻转机工程的安装验收。

13 活　　套

13.4 活　套　车

活套车一般为整体到货，出厂前一些项目虽然经过了调整，但与轨道、生产线、摆动门有关的项目无条件调整，因此安装时必须按本节的要求进行调整和检查。

14 焊　　机

14.1 闪光焊机

14.1.1 因闪光焊机电源输入功率较大，其输入电流可达3.6kA～5.0kA，易对周边人员及附近设备造成触电伤害，危险程度高，存在较大安全隐患。因此在安装过程中应特别注意，必须确保固定机架与底座间的绝缘良好。在安装过程中、安装完毕后、单机试车前各检查一次。

14.3 激光焊机

14.3.1 激光焊机的机头通常为整体到货，待焊机滑轨找正完毕后直接吊装滑入即可。机头上各种控制元件、电气元件较多，集成度高，易损坏，因此不建议过早开箱，如若必须开箱，则开箱检查完毕后应重新加以包装保护。

15 加 热 炉

15.1 步进式加热炉

15.1.1 炉底板与炉底梁的焊接形式直接关系到炉底的热膨胀问题，涉及炉底耐材的正常使用，所以必须严格按设计文件的要求施焊。

15.1.2 步进水梁及其冷却水系统施工时有现场焊接的焊口，且属于隐蔽工程，焊接质量至关重要，在耐材施工前应按设计文件的要求进行水压试验。

15.2 环形加热炉

本节适用于圆坯环形加热炉工程的安装验收。其他类似结构的环形加热炉可参照执行。

15.2.2 底部内、外环圈梁圆周方向位置偏差应在0°、90°、180°、270°、360°及传动装置中心线上测量。

15.3 连续退火炉

本节适用于冷轧带钢连续退火炉、热镀锌退火炉工程的安装验收。其他类似结构的连续退火炉可参照执行。

15.3.1 冷轧带钢连续退火炉炉体的密封性关系到炉内保护气体压力的变化和带钢的退火质量。因此，炉体耐材施工、设备安装结束后，应根据炉子技术文件进行气密试验，其质量标准应符合设计文件的要求。

15.3.2 不同温度炉室段的炉辊轴承及各炉辊的固定端、自由端轴承，其装配要求应符合设计文件的要求。

15.4 辊底式加热炉

本节适用于薄板坯辊底式加热炉、钢板辊底式热处理炉、钢管辊底式热处理炉工程的安装验收。其他类似结构的辊底式加热炉可参照执行。

15.4.1 一般辊底式加热炉炉体很长,炉底梁与基础埋件的连接形式分固定式和移动式,以满足炉体热膨胀的需要,因此安装时应严格按设计文件的要求进行施工。

15.4.2 炉辊轴承的装配要求按本规范第15.3.2条的条文说明执行。

15.4.4 侧墙的纵向中心线、标高以炉辊孔为测量基准。

15.4.5 Ⅰ级精度适用于辊底式钢板热处理炉的炉辊,Ⅱ级精度适用于薄板坯辊底式加热炉的炉辊。

16 辅助设备

16.6 抛 丸 机

本节适用于冷轧及热轧生产线上在线与离线抛丸机工程的安装验收。本节内容是依据武钢四冷轧酸轧线、邯郸中板线等工程的施工资料编制而成的。